GENEV

ATTACHES, UNE HISTOIRE GRISE

ROMAN

TÊTE[PREMIÈRE]

Nous remercions le Conseil des arts du Canada de l'aide accordée à notre programme de publication, et la SODEC pour son appui financier en vertu du Programme d'aide aux entreprises du livre et de l'édition spécialisée.

Nous reconnaissons l'aide financière du gouvernement du Canada par l'entremise du Programme d'aide au développement de l'industrie de l'édition (PADIÉ) pour nos activités d'édition.

Gouvernement du Québec — Programme de crédits d'impôt pour l'édition de livres — Gestion SODEC

Conception graphique de la couverture : Marc-Antoine Rousseau

Conception typographique : Marc-Antoine Rousseau

Mise en page : Marie Blanchard

Révision linguistique : Fleur Neesham

Correction d'épreuves : Jenny-Valérie Roussy

© Geneviève Drolet et Tête Première, 2014

Dépôt légal — 1e trimestre 2014

Bibliothèque et Archives nationales du Québec

Bibliothèque et Archives Canada

ISBN papier : 978-2-924207-25-3 | pdf : 978-2-924207-26-0
ePub : 978-2-924207-27-7

Toute reproduction, même partielle, de cet ouvrage est interdite. Une copie ou reproduction par quelque procédé que ce soit, photographie, microfilm, bande magnétique, disque ou autre, constitue une contrefaçon passible des peines prévues par la loi du 11 mars 1957 sur la protection des droits d'auteur.

Tous droits réservés

Imprimé au Canada sur les presses de l'imprimerie Gauvin.

Pour mes trois parents...

Je vous ai écrit une histoire que vous n'aurez pas peur de lire.

4 janvier 20~~12~~13

Chère ~~personne chose toi~~,

Cher toi, ou chère toi,

Je ne sais vraiment pas par quoi commenc~~é~~er. Peut-être que je devrais attendre de ne plus être bourré comme un con.

Faque, je vais faire ça... ouais.

Non, je n'attendrai pas, c'est pour toi que je fais ça, que j'écris alors que je tiens à peine debout~~, alors que je viens de pisser dans le garde-manger en pensant que c'était la toilette~~, parce que tu apparais comme ça, pouf! dans ma vie, le jour où je reviens de voyage et que tu t'étales de tout ton long dans ma tête comme une fille sur la plage à Puerto Coco. T'avais pas le droit de me faire ça, bordel! T'avais pas de putain de fucking droit! Je t'en voudrai toute ma vie... ~~Je te voudrai toute ma vie.~~

Toi et ton existence invraisemblable.

5 janvier 2013

Cher toi, ou chère toi,

Je ne sais toujours pas par quoi commencer.

Je n'ai pas l'intention de t'écrire un roman, mais tu dois savoir ce qui s'est passé.

Je veux te raconter notre histoire dans les moindres détails. Vois ce témoignage comme un avertissement, un exemple de ce que tu ne devrais pas faire dans la vie. Un mode de non-emploi.

P.-S. J'ai changé les noms, parce que, de cette manière, j'avais moins envie de ~~pleurer~~ péter les dents à tout le monde chaque fois que je me mettais à écrire.

Où a vraiment commencé l'histoire que je veux te raconter ? Ses origines sont floues, mais lorsque je remonte le fil des événements, il me semble que ce soir-là a été, plus que n'importe quel autre, décisif dans la consolidation du futur grisâtre que je me suis fabriqué.

Mian m'a appelé pour me dire qu'elle arrivait. Sa voix, j'aurais préféré ne pas m'en apercevoir, avait une intonation effacée, une noirceur goudronnée que je lui connaissais seulement lorsqu'elle allait me quitter.

En attendant qu'elle vienne anéantir les fondations de notre relation avec ses mots bulldozer, j'ai fait la navette entre mon poste de guet et la salle de bain une dizaine de fois, déposant ma main indécise sur la robinetterie chromée. La sueur qui se dégageait de ma paume laissait des traces embrouillées qui disparaissaient aussitôt, vestiges éphémères de mes passages agacés dans la salle de bain. Je fermais les yeux comme un gamin qui souffle les bougies de son gâteau pour faire un vœu, car je croyais pouvoir contrôler son arrivée avec la seule force de mon désir.

J'ai attendu une heure avant de faire couler l'eau du bain. Attendu de la voir arriver par la fenêtre de ma chambre. J'ai eu le temps d'imaginer Mian me laisser de toutes les manières possibles et chacun de ces scénarios se terminait dans une flaque de sang.

Pourquoi avais-je besoin de me baigner en sa compagnie ? Peut-être était-ce ma volonté de fusionner davantage nos corps qui me faisait agir ainsi. Avoir encore plus d'elle en moi, car il n'y avait déjà pas assez de moi en moi. L'eau ondoyant autour de nos corps souderait notre couple en dérive.

Lorsqu'elle est arrivée, mon impression s'est transformée en certitude indigeste. Elle avait les prunelles d'un chiot qu'on écorche vivant. Elle me présentait à l'avance l'état qu'elle savait devoir afficher pour attendrir mes chairs courroucées, pour pétrir mon ventre crispé, cristallisé.

Son téléphone s'est mis à vibrer dans la poche de son jeans. Les doigts incertains que j'avais lancés en direction du velours de son cou se sont recroquevillés au milieu de leur élan. Mon corps s'est ratatiné en l'entendant dire à son interlocuteur qu'elle n'allait pas tarder.

Elle ne mentait pas, elle était déjà partie.

Je me suis retrouvé dans ma baignoire. Elle semblait se dérober sous moi, avec son épiderme glissant vers des profondeurs infinies. J'étais dans un putain d'abysse.

À mes côtés, Mian continuait à ne rien dire, à crier son silence qui me donnait des coups d'enclume sur la tête. Sa position sur le siège de toilette rabaissé hésitait entre l'affaissement et la tension calculée. Ses mains pétrissaient son visage pour y sculpter une forme de compassion ou quelque chose comme ça.

J'avais voulu me baigner avec elle, j'étais maintenant seul et nu dans cette humidité tiède. Je ne savais pas à quoi j'avais pensé, sauf qu'il ne fallait pas gaspiller autant d'eau. C'était pour l'environnement.

Était-ce la cinquième, la sixième fausse rupture ? Pourtant, j'avais toujours la sensation que ses retours étaient salutaires, légitimes. Elle tremblotait dans mes bras en désespérant un peu plus chaque fois. Elle rongeait mes os de son désir inhumain, inaltérable. J'avais l'impression d'être un poisson qui se fait leurrer par un ver trop reluisant. Un ver plein de bling-bling. Des paillettes, beaucoup.

Les hésitations de Mian pétillaient dans mes pores, agrandissant le désespoir dans lequel on se vautrait. J'aurais aimé pouvoir me glisser sous ses paupières pour qu'elle me voie enfin. Pour qu'elle cesse de regarder sa détresse comme si c'était le fucking papier peint morne de son intérieur.

Dans quelques semaines, elle se mettrait dans ma tête encore, une passerelle entre nos corps inavoués.

Je ne l'aurais pas oubliée, pas assez.

Je mettrais mon nez dans son cou, mes bras sur ses omoplates en ailes d'ange déchu et je me laisserais berner par ses airs d'enfant prodigue dont on connaît la capacité de récidive. Certaine, certaine…

Ma gorge s'étranglait comme si mon corps entier avait décidé de m'exécuter pour ne pas avoir à subir cette tuerie encore une fois. L'eau clapotait doucement sous mes doigts, je m'accrochais à une réalité impalpable, intouchable, pour me distraire de celle qui me happait la tête tout entière.

Elle n'avait rien à me dire. Elle m'imposait son silence, sa présence muette, qui m'assourdissait, me handicapait.

Va-t-en, mais reste, j'ai besoin que tu réconfortes en moi ce que tu viens de hacher en toute désinvolture. Que tu me dises que ça ira. Même si…

Je me suis levé, j'ai émergé des tréfonds de l'eau poisseuse, et nous avons regardé ensemble ce qu'il restait entre nous, cet espacement indéniable, gonflé de tous nos souvenirs, comme un cadavre boursouflé qui fait des rouleaux dans le ressac de nos vies.

Elle s'est traînée jusqu'à mon lit pendant que je m'affairais à camoufler mon cœur criblé de trous. J'appliquais des *plasters* sur mes plaies qui pissaient à chacun de ses doutes. Des coups de poinçon qui ne laissaient plus rien sauf une dentelle fine qui courait en bavant.

Sa petite tête soyeuse s'est déposée sur mon torse encore glissant. Je la caressais comme j'aurais aimé l'être. Doux, doux, doux.

Des mots acérés voulaient s'expulser hors de ma trachée, mais quelque chose les bloquait, un bouchon de liège entêté dans l'ivresse de mon amour pour elle.

Va-t-en... Je n'ai plus la force de te voir me faire autant de mal...

Elle s'est levée en appuyant les mains sur ses genoux noueux pour alourdir le moment, pour faire comme si la gravité de la situation densifiait l'air dans lequel elle se mouvait.

Son regard tuait tout ce qui aurait pu rester de notre relation, mais peut-être était-ce le miroir de ses yeux tempétueux retourné vers elle-même. Elle se haïssait bien plus que je l'aimais, d'une manière despotique, totalitaire. Elle était son propre tyran.

J'ignore combien de temps s'est écoulé. Des heures, des années. Ma respiration s'est arrêtée. Une souffrance connue, parasitaire, s'est incrustée dans les profondeurs de ma poitrine.

Ça va aller?

Comme d'habitude mon amour... comme d'habitude.

C'est comme ça que Mian m'a quitté cette fois-là.

Un soir de la fin janvier, quelques jours plus tard, j'étais à la fête d'un ~~ami~~ collègue de travail.

Dehors, la glace gueulait sous l'aridité du froid. Aucun nuage, les étoiles clignotaient dans le ciel. On aurait dit une nuit en pleine campagne. Je regardais à travers la fenêtre quand j'ai entendu un rire qui a fait des étincelles dans ma tête. J'avais l'impression qu'un gaz avait flambé à son contact et qu'une langue de braises me léchait l'intérieur de la poitrine. Elle brûlait tout sur son passage, comme un feu de brousailles dans l'aridité d'une plaine africaine desséchée où il n'y a plus rien à dévorer. J'ai regardé mon reflet dans la vitre et j'ai baissé les yeux. Je ne savais pas exactement ce que cette sensation voulait dire, mais je savais que quelque chose se tramait.

J'ai passé la soirée à la regarder danser sans le laisser paraître. Je n'ai jamais vraiment su comment montrer mon intérêt. On me l'a reproché des dizaines de fois. Les occasions qui m'ont filé entre les doigts, je ne les compte plus. Mais ce soir-là, j'avais une bonne raison. Mon cœur venait d'être bousillé encore une fois par Mian et comme je le sentais dégouliner entre mes côtes, je ne voyais pas l'intérêt de me changer les idées avec quelqu'un d'autre.

J'étais assis, les jambes croisées, près de la grosse poutre en bois au milieu du salon. Sa solidité… une réponse à ma ~~couardise~~ vulnérabilité.

Un tuteur pour une plante qui ne sait pas grandir.

Une musique d'une autre époque a retenti, étalant ses tonalités sirupeuses sur la masse grouillante qui dansait devant moi. Des interjections ont fusé. Ce n'était pas le genre recherché, ou il était trop tôt pour ça. Le DJ a mis du dubstep. Les danseurs ont lancé leurs mains dans les airs pour capter le plus de particules de plaisir possible.

Pendant un instant, j'ai senti que la fille me regardait. C'était une occasion. Je le savais. Ça me coûtait de ne pas baisser les yeux. J'ai eu envie de vomir. Elle m'a souri. C'était d'un naturel inquiétant. Je me sentais détenteur d'un secret, d'un trésor précieux fabriqué uniquement à mon intention. Et ça me paraissait lourd à porter. Mais quand j'y pensais vraiment, ce n'était qu'une mimique, qu'une convention sociale. Le tressautement de quelques muscles, un réflexe. Comment être certain que ce geste ait été porteur de tout ce que j'imaginais ? J'ai laissé tomber, comme d'habitude.

Mais la fille était téméraire. Elle avait décidé quelque chose et je me retrouvais dans le chemin de cette ligne directrice.

Elle est venue s'asseoir à mes côtés et nous avons regardé ensemble l'espace qu'elle occupait il y a quelques secondes. Pendant un instant, une bulle s'est créée là où elle avait disparu. Un vide dans le flot des danseurs, parce qu'on respectait même son absence. Cette fille était adorée avant même qu'on la connaisse.

Elle s'est retournée vers moi et elle m'a détaillé sans aucune gêne. J'ai vu dans son regard qu'elle me trouvait attirant ou quelque chose comme ça.

Alors, c'est quoi, ton pire vice ?

Pendant un instant, je me suis attardé à cette entrée en matière ~~désagréable~~ un peu brusque. Utilisait-elle la même technique avec toutes ses conquêtes ? C'était difficile à évaluer. La question était si candide et si naturelle, qu'elle me semblait personnalisée et surutilisée en même temps. Peut-être était-ce ce que je lui avais inspiré. Je lui ai répondu La nostalgie.

J'étais conscient que ce n'était pas un trophée impressionnant, comme certains autres vices. C'était même assez rebutant venant de la part d'un homme. Mais je n'essayais pas de la séduire. Je voulais être honnête. C'est tout. L'honnêteté, c'est la seule arme des faibles. La seule arme qui me restait.

Oui, la nostalgie. La nostalgie des choses que j'aurais dû faire, la nostalgie de tout. J'étais même nostalgique des moments de ma vie où j'avais été nostalgique de quelque chose.

La nostalgie, c'est le passé qui te tient en laisse. Qui te serre la gorge pour que tu restes docile.

J'étais plutôt attaché à cette condition, car avec elle, les choses les plus pénibles que j'avais vécues étaient recouvertes d'un filtre qui me les présentait de façon à ce qu'elles soient plus scintillantes qu'elles ne l'avaient vraiment été.

Mais aussi, ça faisait en sorte que mon passé brillait davantage que mon présent. Ça donnait l'impression d'un bonheur un peu à la traîne, rétroactif, fourbe et malhonnête aussi.

Il y a eu un instant de silence dans le brouhaha de la fête. Puis, cette confession que je n'attendais pas.

Moi, je ne suis pas capable d'être seule.

Je ne savais pas quoi dire. Son vice était probablement aussi repoussant que le mien. Pourtant, je l'ai trouvée très attirante à ce moment-là. Son visage rond, mais défini, le teint olivâtre de sa peau, le grain de beauté sur sa paupière qui apparaissait seulement lorsqu'elle fermait les yeux, ce qui arrivait souvent, ses lèvres fines, ses dents qu'elle portait comme un accessoire décoratif, avec l'assurance de la royauté. Lorsque je me suis attardé sur leur éclat, elle m'a dit J'ai porté des broches. C'est artificiel.

Elle en était fière, mais aurait préféré naître avec une dentition cordée comme une rangée de maisons identiques dans une rue de banlieue, plutôt que de la fabriquer mécaniquement.

Est-ce que c'est OK si je te touche la main ?

Elle a déposé sa main sur la mienne avant même de finir sa phrase. Ses doigts étaient glacials. En contraste étonnant avec la chaleur de son approche. J'ai senti que je devais la réchauffer. Un devoir d'homme. J'avais des glaçons entre les doigts et déjà, je les transformais en diamants.

Nous sommes restés quelques minutes comme ça. Elle s'est levée pour aller se chercher un verre de vin rouge. Elle ne m'a pas demandé ce que je voulais boire, mais elle a partagé son butin avec moi. Je la sentais s'immiscer en moi et je la laissais faire. Parce qu'elle me brusquait et que ça me détournait de ma peine. J'ai senti que je devais dire quelque chose. C'est sorti de ma bouche comme si j'avais le syndrome de la Tourette.

Je viens de me faire laisser.

Moi aussi.

On était deux. Une équipe, déjà.

Il m'a semblé que je devais partir, oui je le devais, comme on doit faire ses devoirs ou sortir les poubelles. Je ne savais pas pourquoi. Elle m'a dit qu'elle voulait me revoir, le lendemain. Elle est allée chercher son téléphone et m'a demandé mon numéro.

Quand j'ai commencé à marcher vers chez moi, la sonnerie de mon cellulaire a retenti.

Je m'appelle Yvonne.

Moi, c'est Alexi.

Je sais que tu sais qui est Yvonne même si j'ai changé son nom. Elle est la seule représentante de son espèce en voie de disparition et souvent, j'ai l'impression que beaucoup seront soulagés lorsqu'elle s'éteindra.

Mais je ne fais pas partie de ceux-là, même si j'ai hésité, parfois.

Le lundi suivant, au travail, une chose curieuse s'est passée. Ce n'était pas un événement d'une grande importance. Deux hommes et quatre femmes travaillaient avec moi. J'étais souvent le premier à utiliser les installations sanitaires, car j'arrivais tôt au travail. C'était un cagibi repoussant qui sentait trop fort le produit désodorisant, ce qui était parfois pire que les odeurs humaines.

Ce matin-là, j'ai vu que le distributeur de papier hygiénique était défectueux et qu'un rouleau avait été déposé au sommet de la pile de magazines sur la petite table en face de la cuvette. Il était presque impossible d'atteindre le rouleau une fois assis sur le siège de la toilette. Je l'ai donc installé sur le dessus du distributeur afin qu'il soit plus facile d'accès.

Quand je suis revenu à mon poste de travail, j'ai repensé à Yvonne. Je lui avais dit que je l'appellerais ce jour-là, mais je n'avais aucune idée de ce que je voulais faire avec elle. Quelque chose s'était estompé depuis la veille ; les vapeurs d'alcool s'étaient dissipées, ma peine avait recommencé à tout ronger. Je constatais la rouille de ma tête et je ne me sentais pas à la hauteur, comme une vieille bagnole qu'on utilise seulement pour ~~faire du necking dans un parking~~ les trajets courts.

C'était difficile de trouver une activité qui ne me ramènerait pas à Mian. J'avais l'impression qu'une étiquette avait été posée sur presque tout ce qu'il y avait à faire dans cette ville : « propriété du souvenir de Mian et Alexi ».

Je me suis dit que j'allais agir comme j'en avais l'habitude. Laisser tomber. J'allais couver ma peine comme une poule mouillée, me fondre dans une slush de nostalgie.

Quand je suis retourné au cabinet de toilette sur l'heure du midi, le rouleau de papier hygiénique était maintenant sur le sol. Quelqu'un pensait que c'était la place qu'il aurait dû occuper. Ça m'a semblé absurde, car le sol était collant de crasse. Je l'ai déposé sur le distributeur encore une fois.

Tout au long de la journée, j'ai pensé à ce petit détail sans importance : la place légitime que devrait occuper un rouleau de papier de toilette lorsque le distributeur est défectueux. J'ai envisagé d'en parler à mes collègues, mais je sentais bien que je n'allais récolter que des rires et de la pitié.

Je portais souvent attention aux petites choses qui n'avaient aucune importance. Tout me permettait de m'accrocher au passé et d'y flotter pendant un instant. Je savais que cette anecdote de rouleau allait être rattachée à ce qui allait suivre. Que j'allais m'en souvenir comme si c'était un appendice nécessaire à la chronologie de l'histoire.

Je fais des détours. C'est un passage nécessaire avec ma condition. Ne t'inquiète pas, j'essaie aussi de te rendre la chose intéressante, parce que, sans cela, il y aurait de fortes chances pour que cette lettre se retrouve dans la poubelle, ou le bac de recyclage si tu as la fibre écologique, ce que j'espère, parce que dans le cas contraire, tu mettras probablement l'humanité en péril avec tes actions ~~de plouc~~ inconscientes.

Je suis retourné à la maison à pied avec de la musique triste dans les oreilles, emmitouflé de façon à ce que seuls mes yeux soient en contact avec le froid qui me mordait comme un chien enragé. Le fil de mes écouteurs a perdu sa souplesse et j'avais peur qu'il se brise parce que ça aurait gâché la tristesse du moment. En trame de fond des pièces aux sonorités mineures, il y avait le crissement de mes bottes Sorel sur la neige cristallisée. Je pouvais voir les traces laissées par d'autres bottes qui avaient été figées dans le temps. Je me suis mis à emprunter les trajets d'inconnus, à bifurquer dès qu'une piste me paraissait plus attirante. Mes pas étaient invisibles. Il n'y avait que ceux des autres, glacés, immortalisés pendant un instant.

Je pensais à Mian.

Dans l'année et demie qu'on avait passée à être et à ne pas être ensemble, il y avait assez de grisaille pour le reste de ma vie. Comme une vague infinie pour un surfeur infatigable. Une vague gelée à son point culminant. Notre dernière rupture était similaire à toutes les autres. Sans éclat, sans cri. Juste une détresse lancinante des deux côtés. Mian me laissait parce qu'elle était malheureuse. J'étais malheureux parce qu'elle me laissait. Quelque chose en elle était incompatible avec l'idée de continuité de notre couple. Elle était triste avec moi, mais l'oubliait parfois. Elle me revenait avec espoir et désespoir. Je la reprenais parce que je ne savais pas comment ne pas être avec elle, comme une vieille peluche que je continuerais à aimer même si elle avait traîné dans la bouette et n'avait plus qu'un œil, comme la première fois où j'avais enfoui mon nez dans la douceur de son étreinte.

La tristesse de Mian n'avait rien à voir avec moi. Je n'étais qu'un couloir plein de courants d'air dans lequel elle s'attardait. C'était facile pour elle de penser que j'en étais la cause. J'étais pratique.

Je la comprenais.

Il est difficile d'assumer sa mélancolie comme un trait de caractère et non comme un état éphémère. Au fond, on était semblables. À nous deux, on était un ciel rempli de cumulonimbus noirs.

Lorsque je suis arrivé chez moi, il y avait un bateau en origami enfoncé dans ma boîte aux lettres. Une partie de moi espérait voir le nom de Mian apparaître au bas du navire déplié, mais c'était improbable. Elle ne ferait pas ça.

786, rue Ricard, je t'attends.

Je ne connaissais personne qui habitait cette rue. À moins que...

Yvonne, la fille collante insistante du party. Elle était rusée. Elle ne me laissait aucun choix. Elle donnait des ordres. Elle avait probablement senti que je n'avais pas eu la force de l'appeler. Par simple pusillanimité. J'étais faible. Comme quelqu'un qui avait accusé des dizaines de coups sans broncher, un *punching bag* avec des yeux...

C'était simple de laisser tout le monde faire des choix pour moi. Ma mère avait toujours été exaspérée par mon caractère docile. Elle aurait aimé que j'aie plus de combativité, plus de vivacité. Un homme comme mon père. L'homme qu'elle avait perdu avec sa grossesse imprévue. Elle me parlait de lui, de sa verve, de son énergie. Et moi, je n'avais jamais voulu lui dire que j'étais justement comme lui. Il fallait être couard pour laisser une jeune femme de vingt ans avec la vie qui lui donnait des coups de pieds sans arrêt dans le ventre.

Mian avait été la seule fille que j'avais voulu séduire. C'était pour ça que j'avais autant de peine à la laisser aller. Elle était le symbole de mon seul instant de bravoure. Forcément, ça valait quelque chose.

J'ai replié le bateau de papier en l'amochant un peu parce que l'origami, ce n'était pas dans mes cordes, et je l'ai laissé dans la boîte aux lettres. Je suis rentré et je me suis affalé sur le divan, encore enveloppé dans mon manteau. Je respirais dans mon foulard qui commençait à dégeler. C'était humide. Ça sentait le froid et quelque chose d'âcre aussi. Les brins de la laine étaient imprégnés de mon haleine. C'était une journée désagréable.

Malgré la musique qui continuait de jouer dans mes oreilles, je m'entendais respirer. Un bruit de vagues tristes. Un cycle qui ne s'éteint pas. Pas maintenant. Plus tard.

Yvonne m'attendait. Comme j'avais attendu Mian des dizaines de fois. Peut-être des centaines. Je me demandais si son attente était similaire à la mienne. S'il y avait en elle autant d'appréhensions, autant d'anxiété. La certitude que les choses n'allaient pas évoluer comme elle le souhaitait. Désirait-elle même quelque chose de précis ? Je l'ignorais.

Parce que j'avais pitié d'elle dans cette attente hypothétique, parce que, par projection, j'avais pitié de moi aussi, je me suis décidé à y aller. La rue Ricard n'était pas loin. Peut-être un kilomètre et demi. Je n'aurais qu'à lui expliquer que je n'avais pas encore évacué l'autre de ma tête. Qu'il n'y avait pas de place pour elle.

Ne pas être avec Mian, c'était être avec elle tous les jours, de toute façon.

En chemin, je me suis arrêté pour acheter du Ricard. D'autres hommes avaient peut-être, par le passé, fait cette mauvaise blague à Yvonne en lui achetant une boisson qui portait le nom de sa rue, mais je m'en moquais. Pour moi, c'était une première.

C'était quelque chose que je n'avais jamais bu avec Mian. On détestait tous les deux le goût de l'anis. Mais je voulais à tout prix éviter son souvenir le temps de cette soirée.

786, rue Ricard.

Un bâtiment à quatre logements. Un grand appartement au premier étage, deux petits au deuxième, un autre grand au troisième.

Celui d'Yvonne était à gauche au milieu. Sa porte était décorée de lumières de Noël allumées qui clignotaient de façon aléatoire. On était à la fin janvier.

J'ai hésité avant de cogner. Je me trouvais ridicule avec ma bouteille d'alcool que je détestais et mon air abattu. J'aurais peut-être dû prendre une douche, mais lorsque j'y pensais, ça me semblait trop prémédité. Je me sentais puéril. Je ne savais pas ce que je voulais et si j'avais pris une douche avant de venir, Yvonne aurait pu penser que je me préparais à une copulation certaine et je ne voulais pas lui donner cette impression. Je me voyais dans une discussion hypothétique avec Mian où elle me reprocherait d'avoir voulu fricoter avec Yvonne et d'avoir fait tout en mon pouvoir (prendre une douche) pour que cela se produise. Ça me déresponsabilisait, de ne pas être propre.

Rien ne se passerait. Une conversation remettrait les choses en place, puis je m'en irais avec l'impression d'avoir été honnête.

C'était le genre de certitude que tu peux avoir quand tu bouches toutes les ouvertures qui mènent à l'intégrité. Quand tu te placardes dans le déni en mettant tes doigts dans tes oreilles et en chantant des tounes que tu penses bien interpréter, mais dans le fond, tu as autant de talent que le *dude* qui finit toutes ses soirées au karaoké en miaulant sa vie dans un micro bon marché.

Je ne parle pas de toi là, j'espère que tu le sais, je parle de moi.

J'ai cogné sans enlever mes mitaines. C'était Mian qui me les avait tricotées. Elles étaient un peu défraîchies, mottoneuses. La gauche avait eu un accident, un trou que ma mère avait réparé en urgence parce que je ne pouvais pas accepter que cet objet fabriqué par Mian puisse mourir. C'était superstitieux. Si maman réparait la brèche de ma mitaine, alors ce n'était pas encore perdu pour notre relation. Elles étaient tellement laides qu'elles en étaient mignonnes.

Pas de la même grandeur. Le motif différait aussi. Ça paraissait que Mian avait manqué de laine brune et qu'elle avait rajusté le modèle pour essayer que ça ne paraisse pas trop. Elles étaient des jumelles non identiques, asymétriques. Il arrivait souvent qu'on les regarde avec mépris et j'en voulais à ces gens qui se permettaient de les juger. Justicier, je les défendais comme s'il s'agissait d'infortunés dont on se moque en chuchotant.

J'ai attendu pendant un certain temps devant la porte à la peinture écaillée. J'ai trouvé qu'elle s'agençait bien avec mes moufles. Une lépreuse et ses deux amies mendiantes. Je me suis dit que je patienterais un peu et que, si Yvonne n'avait pas entendu le bruit en sourdine de mes poings emmitouflés sur sa porte, alors je repartirais avec ma bouteille d'alcool détestable. C'était un test, ou un genre de pari. Tout pour ne pas prendre de décision officielle.

Alors que je me retournais vers l'escalier, la porte s'est ouverte derrière moi. Yvonne est apparue dans un nuage de vapeur ~~mystérieux~~. Elle avait une serviette effilochée enroulée autour du corps, les tempes légèrement mouillées et une lueur étrange au fond des pupilles. Peut-être que c'était les lumières de Noël.

J'étais dans le bain.

On s'est regardés comme deux animaux, une incertitude touchante entre nous. Ses yeux se sont posés sur la bouteille de Ricard. Elle a juste souri puis m'a dit qu'elle détestait ça. Mais elle aurait pu aussi bien dire qu'elle adorait. De toute façon, elle avait l'air de s'en foutre et moi aussi, parce que maintenant qu'elle était à moitié nue devant moi, je sentais que j'aurais beaucoup de mal à lui expliquer qu'il n'y avait plus de place dans ma tête. Tout à coup, de l'espace se créait, s'inventait, comme par magie.

Elle m'a fait entrer. J'ai trébuché dans les dizaines de bottes et paires de chaussures qui entravaient le vestibule. Ses pieds mouillés les pelletaient avec une bienveillance agacée. Elle m'a regardé et a roulé des yeux en ayant l'air de s'excuser de l'indocilité de ses accessoires, comme s'il s'agissait de chiots mal éduqués. Elle semblait n'avoir aucun contrôle sur eux.

Je lui ai donné mon anorak. Nous avons regardé ensemble les crochets muraux invisibles sous des couches de vêtements et elle a haussé les épaules avant d'étendre mon manteau sur les bottes et souliers, bêtes indomptables, comme pour les calmer. Je l'ai suivie jusqu'à la salle de bain où flottaient encore de minces strates de vapeur. La serviette a glissé de son corps et Yvonne s'est glissée dans la baignoire.

Juste comme ça.

J'ai tout de suite pensé à Mian. J'avais rêvé de cette situation avec elle. Ça me semblait ironique.

Yvonne s'est assise dans le bain, pas dans le bon sens, les jambes appuyées sur le mur. Ses orteils ratatinés ont pianoté un peu sur les carreaux de céramique couleur ~~pêche saumon~~ corail. Du vernis indigo écaillé sur les ongles...

Ça paraissait qu'elle me laissait de la place pour que je me glisse à ses côtés. Je ne savais pas quoi faire. Elle s'est retournée et a empoigné la bouteille. Elle a essayé de l'ouvrir, mais ses mains glissaient sur le bouchon. Elle me l'a redonnée. J'ai regardé autour de moi et j'ai pris la serviette qui traînait sur le plancher afin d'assécher le bouchon.

Tu veux prendre ton bain avec moi ?

Elle a dit ça comme si c'était moi qui lui avais demandé cette faveur et qu'elle vérifiait si c'était bien ce que je voulais. Elle avait dit TON bain, comme s'il m'appartenait, comme si elle savait que je n'avais pas encore pris MON bain, le mien, celui qui m'aurait rendu propre si je l'avais pris.

En mettant le goulot de la bouteille de Ricard dans ma bouche, je me suis cogné les dents. Ça m'a donné la nausée.

Je peux garder mon caleçon ?

Elle m'a regardé sans broncher, mais elle avait l'air de se moquer quand même.

C'était immoral de partager ma crasse avec Yvonne. J'aurais dû me laver avant. J'ai hésité pendant quelques minutes en faisant semblant de regarder ce qui m'entourait. Mais je ne voyais rien. J'avais les yeux renversés dans ma tête qui tournait comme le Gravitron. Mon cerveau collé à ma boîte crânienne. J'ai reçu de l'eau en plein visage.

Si tu ne viens pas dans le bain, le bain viendra à toi.

J'aurais aimé avoir ce genre d'insouciance avec Mian. Peut-être que si ~~je n'étais pas aussi timoré~~ j'étais plus déterminé, elle ne me quitterait pas si souvent.

Je me suis débarrassé de mes vêtements au plus vite pendant qu'Yvonne me regardait sans pudeur. Elle aurait pu détourner les yeux, mais on aurait dit que c'était une option inenvisageable. Je me sentais comme une danseuse exotique qui vient de terminer son numéro. J'avais un peu honte, mais je faisais semblant que non.

Je me suis retrouvé en caleçon, et elle a fait un geste avec sa main sur la surface de l'eau, comme on fait parfois pour inviter un petit animal ~~moche~~ à grimper sur le divan. Je me suis engouffré dans le bain en tentant de camoufler mon malaise au mieux de mes capacités. J'ai fait comme si l'eau allait cacher mes parties intimes visibles sous le textile molasse, mais ça n'avait pas l'air de fonctionner.

Écoute, j'ai pensé à ton défaut, la nostalgie. Je comprends pourquoi t'es si inconfortable en ce moment. Je te propose quelque chose : on ne se parle jamais des choses qui nous font souffrir. Je ne veux rien savoir de cette fille qui t'a laissé ni de toute autre chose qui te rend nostalgique. Je ne te parlerai pas de ce trou de cul qui vient de me jeter aux vidanges et je ne te demanderai rien, sauf d'être présent quand tu es avec moi. Je n'ai aucune manière de vérifier si tu l'es, mais fais de ton mieux, pis ça va bien aller.

J'ai trouvé sa proposition honnête. Je ne savais pas quel genre de relation elle envisageait, mais j'ai pensé qu'elle avait raison. Je me suis tout de suite senti mieux. J'ai étendu mon bras pour récupérer la bouteille et juste avant que je ne me fourre le goulot dans la bouche encore une fois, Yvonne me l'a arrachée des mains et l'a vidée dans la baignoire. Je l'ai trouvée belle, mais surtout folle. J'ai voulu faire une comparaison avec le caractère réfléchi de Mian et j'ai reçu une claque au visage. Yvonne savait quand mon cerveau faisait des détours nostalgiques et elle me le signifiait. Elle n'y avait pas mis toute sa force, mais ma joue s'est mise à brûler.

Tu connais le chien de Pavlov ?

Pas personnellement.

Non, sérieux, tu le connais ?

Celui qui en vient à saliver quand il entend une sonnerie ?

Oui.

Est-ce que tu essaies de me dresser à ne plus être nostalgique ?

Oui.

Et moi ? Je peux te dresser à ne plus avoir peur d'être seule.

Ça complique les choses, parce que si je suis seule, je ne suis pas avec toi.

Hum… Combien de temps on va rester dans le bain ?

Pourquoi ? Tu as un rendez-vous avec ta nostalgie ?

Non, je me disais juste qu'on allait sentir le Ricard.

Et là, elle a penché la tête vers l'eau et a pris une grande gorgée de notre bain, avec toutes les particules qui traînaient dedans et que je n'aurais jamais mises dans ma bouche de mon plein gré ~~sauf pour un pari incluant beaucoup d'argent~~. J'ai eu peur, parce que juste avant qu'elle s'envoie une lampée de jus de corps, elle m'a regardé droit dans les yeux et j'ai pensé que peut-être elle allait m'arracher mon slip et se mettre à…

Un rictus sournois s'est profilé sur son visage dégoulinant et elle a tiré sur la chaîne qui retenait le bouchon du bain. On a attendu en silence que l'eau s'évacue avant de bouger. Il y avait le son de nos peaux sur la surface glissante. Squik, squik.

La pointe de ses seins s'est durcie et moi aussi dans mon caleçon gorgé d'eau.

Tu veux que je t'en prête un ?

Un quoi ?

Un caleçon.

Tu as des caleçons d'homme ?

Ouais, il y a un mec qui en a oublié un chez moi ce matin. Ça ne te dérange pas trop si je ne l'ai pas lavé ?

Elle a souri avec sa dentition ~~à quatre mille dollars~~ de luxe. Je n'avais pas encore remarqué, mais la pointe de ses canines était vraiment acérée. Elle était dangereuse, ça se voyait et je n'étais vraiment pas persuadé qu'elle venait de se faire laisser. C'était évident que personne ne rompait avec ce genre de fille. Assurément, c'était elle qui tronçonnait des cœurs à la chaîne et non le contraire.

Ben non ! J'aime ça dormir en caleçon d'homme, alors j'en achète. C'est comme si j'avais toujours un mec collé contre moi.

Au moment de transition où je me suis retrouvé nu, elle en a profité pour me détailler l'entrejambe et elle m'a dit Tu as un très beau pénis.

Elle aurait pu parler d'une œuvre d'art, d'une pomme ou d'un modèle de voiture, elle ne l'aurait pas fait différemment. J'ai été content qu'elle m'octroie une bonne note.

On s'est retrouvés tous les deux dans la même marque de sous-vêtements, sauf que le sien était rouge et que le mien était noir, beaucoup trop serré. Elle s'est ouvert une bière et me l'a tendue après en avoir pris une gorgée. Cette manie qu'elle avait de tout partager avec moi me plaisait. J'avais déjà l'impression d'être une extension de son corps. De cette manière, elle n'était jamais seule. Elle réussissait à me faire sortir de ma tête. Elle devait savoir qu'en moi, il n'y avait d'espace que pour le souvenir de Mian. Ne pouvant la déplacer, elle essayait de me déloger de moi-même.

Il y a eu un long moment de silence en face du frigidaire qui ronchonnait du haut de sa trentaine d'années. Pour désamorcer mon inconfort, je me suis rabattu sur des paroles vides et beaucoup d'onomatopées.

Faque, alors, hum, faque, qu'est-ce qu'on fait ?

On a déjà fait beaucoup, tu ne trouves pas ?

Oui.

Mon attention a bifurqué sur le mur de son salon où étaient collées des dizaines de photos de personnes âgées posées les yeux fermés. Peut-être endormies, peut-être aussi décédées. Près de chacune d'entre elles, il y avait une fiche descriptive avec des énoncés pré-cédés de tirets. Quelques phrases avaient été surlignées en jaune fluorescent. Sur certains visages, il y avait un gros X rouge fait au marqueur. Le truc avait l'air soit d'une exposition de photos ama-teurs, soit d'un genre de tableau qu'utiliserait un tueur en série pour identifier ses victimes passées et futures. J'ai préféré ne pas poser de questions sur cette installation inquiétante.

Ça a l'air bizarre comme procédé, mais j'ai une très mauvaise mémoire, alors j'ai besoin de repères visuels pour bien faire les choses. Tu vois, demain, c'est le tour de Cécile.

En me disant ça, elle a pointé la photo où l'on voyait une dame aux cheveux jaunis qui portait une nuisette lavande. Je me suis approché. Sur la fiche, il y avait :

Cécile Vaillancourt, 91 ans, 4561, rue des Peupliers, appartement 3.

- S'endort avec une veilleuse.

- Alzheimer.

- A un faible pour les jujubes en forme de baies suédoises.

- Lui retirer son dentier avant.

Mon œil a capté quelques phrases fluorescentes en vrac sur d'autres fiches :

- A une obsession pour les *plasters* même s'il n'a aucune blessure (ceux avec des princesses dessus).

- T.O.C.

- A un hamster nommé Vermine.

- Le chat a tendance à fuguer et la faible mémoire à court terme du propriétaire fait en sorte que le chat n'est plus le bienvenu lorsqu'il revient, jusqu'à ce qu'on mette sous le nez du maître des photos les montrant enlacés, lui et son matou teigneux.

• Laver les draps à l'eau de Javel.

Devant ma perplexité, Yvonne aurait pu me parler pour me sortir du néant, mais elle ne l'a pas fait. Elle m'a laissé avec des interrogations qui se ficelaient en histoire d'horreur. Des scénarios en toile d'araignée. Avec son attitude de folle, ses canines affûtées et maintenant, ce système de fiches sinistres, je trouvais que ça faisait beaucoup. On aurait dit que ça l'amusait de me voir patauger dans les scènes glauques qui se profilaient dans mon esprit. C'était le genre de fille à s'exciter devant un film d'horreur.

Si tu veux, je t'invite. Tu vas voir, c'est plutôt amusant comme expérience.

Je n'en doutais pas.

Elle m'a quitté pour aller mettre de la musique, du Ratatat. Quand elle est revenue vers moi, j'ai été hypnotisé par le rebond de ses petits seins qui suivait le rythme. J'ai essayé de le camoufler, mais ça n'a pas réussi.

Tu veux toucher ?

C'était une question débile. Quel homme ne voudrait pas toucher ? J'ai dit Non. Juste parce que j'étais en désaccord avec l'entrée en matière. Elle s'offrait à moi comme si ça lui était égal. Mais elle m'a pris les mains, les a placées comme des ventouses sur sa poitrine et a continué de danser. J'étais là, immobile, les yeux et la bouche grand ouverts comme un néophyte. Je me suis ressaisi et j'ai souri. Elle a éclaté de rire.

J'étais gêné, mais fier aussi de l'avoir fait rire. J'ai lancé comme ça en toute nonchalance Je peux t'embrasser ? J'aimerais beaucoup…

34

Pour la première fois depuis que je l'avais rencontrée, elle a paru peu sûre d'elle, grave. Ça m'a fait un bien fou de voir qu'elle pouvait être troublée. Par moi. Elle a acquiescé en serrant un peu les lèvres. Ce mouvement... ça m'a chaviré. Yvonne fermait les yeux comme une princesse qui attendait son premier baiser. Je me suis approché d'elle. Je ne sais plus si j'ai eu l'impression de décoller ou d'atterrir au contact de ses lèvres. Mais c'était beau. C'était beau comme un commencement.

Le problème avec les commencements, c'est que ça a toujours une fin. Sinon, on n'appellerait pas ça un commencement.

C'est inévitable. Tout a toujours une fin. Le truc, c'est de banaliser les événements. Ou de changer les perspectives. Lorsque tu aimes ce qui se passe, la fin peut devenir un paramètre désagréable. Mais, si tu te convaincs que cette même chose est ordinaire, alors tout devient moins brusque. Une finale tout en douceur.

Je me doutais bien qu'Yvonne ne serait pas d'accord avec ce procédé. Qu'elle allait me faire baver devant l'intensité de ce commencement.

Quand je suis parti de chez elle après l'avoir embrassée, parce qu'elle m'avait fait savoir qu'elle allait passer la nuit seule malgré le fait qu'elle aurait aimé avoir de la compagnie (déjà, à ce moment-là, je n'avais pas su déceler les premiers signes d'une longue déroute), j'ai senti que je patinais sur les trottoirs même si on venait d'y répandre du sel. Mes mains chauffaient à l'intérieur de mes mitaines et par excès de conscience, je les ai retirées, parce que ça me semblait mal de porter Mian sur moi, même si je savais qu'elle allait revenir bientôt.

J'ai mis Ratatat dans mes oreilles, mes mains dans mes poches de jeans et j'ai souri comme un con, barricadé dans mon foulard. Une odeur de Ricard flottait autour de moi, ça ne me dérangeait même pas. J'avais les couilles serrées dans un caleçon qui n'était pas à moi, je me sentais comme une fille à qui on prête un vieux t-shirt pour déjeuner le matin dans une cuisine inconnue. Je me lovais dans le textile étranger, mes fesses vibraient de bonheur. J'étais quelqu'un d'autre. De ma poche gauche pendouillait mon caleçon détrempé. Il commençait à durcir. De la vapeur s'en détachait en dessinant des volutes sur la noirceur de la nuit.

Je travaillais dans quelques heures et ça m'a fait plaisir de penser que j'aurais de gros cernes qui témoigneraient de ce qui venait de se passer. Je n'en parlerais à personne et je palpiterais seul dans mon cagibi en regardant un écran d'ordinateur qui me parlerait sans que je l'écoute.

J'ai tout laissé traîner lorsque je suis entré dans mon appartement. Je voulais être comme Yvonne, être Yvonne. Je me suis débarrassé de mes vêtements et je n'ai conservé que ce caleçon, promesse de quelque chose de beau. J'ai mis ma main sous l'élastique et je me suis endormi comme un scout après une journée de corvée au soleil.

Le lendemain, j'avais beau être un mort-vivant, j'étais un mort-vivant candide. J'enchaînais les cafés et je trouvais qu'il y avait quelque chose de jubilatoire à trembler d'allégresse sous l'effet d'une surdose de caféine. C'était une lutte entre elle et la fatigue. Mes mains tressautaient sur le clavier de mon ordinateur, mes yeux clignaient pour se débarrasser du voile qui brouillait ma vue. Je sursautais chaque fois qu'un collègue m'interpellait.

C'était beau.

Tous ces symptômes auraient pu être pesants si je n'avais pas eu Yvonne en tête. Yvonne et son souvenir comme une bouffée d'hélium qui me soulevait de ma chaise ergonomique. J'avais seulement un peu peur qu'on me pète ma balloune.

Angi m'a appelé sur l'heure du lunch. Il voulait passer la soirée avec moi. Je savais qu'Yvonne était occupée ce soir-là avec ses trucs de vieillards, alors j'ai fait semblant de jouer les indépendants et j'ai accepté la proposition. Angi ne pouvait pas être au courant pour Yvonne, mais ça me faisait plaisir de faire comme si je n'étais pas déjà enivré de cette fille.

Passer du temps avec lui, c'était exactement ce que ça promettait. Nous passions le temps. Peu de choses se passaient. Peu de choses étaient vraiment dites. Les paroles flottaient, cherchaient un destinataire, s'éteignaient parfois sans qu'aucun de nous en ait accusé l'existence. Nos phrases étaient des fantômes dont on niait la présence.

C'était toujours comme ça avec lui. Nous buvions de la bière dans le clair-obscur de son salon, devant un écran géant, le volume au minimum. Angi se contentait des images et les commentait, le plus souvent quand je ne m'y attendais pas. Il y avait un éternel bol d'arachides salées sur la table. Je n'ai jamais vu Angi en manger, mais le bol était là, fraîchement rempli. Si j'étais James Bond, j'aurais soupçonné cet élément inutile de contenir un microphone ou quelque chose comme ça, mais ce n'était pas le genre de vie que j'avais. J'avais une vie plate, sans martini ni smoking, une vie où je ne me faisais pas entourlouper par des filles à moitié nues qui débarquaient dans mon existence au nombre de deux, chaque heure et demie.

Angelo avait été un adolescent tourmenté. Il était arrivé en plein milieu de l'année scolaire un matin de février avec son baladeur jaune dans sa main et son sac à dos en cuir accroché à une seule de ses épaules. Dans la classe, un soupir général avait retenti. Les filles s'étaient dissoutes sur leurs chaises en plastique orange, avaient coulé sous leurs pupitres et dans leurs sous-vêtements fleuris. La professeure ne lui avait même pas confisqué son baladeur. Son œil gauche était camouflé derrière une frange qui découpait son visage en deux. Une chute de goudron sur sa peau mate. L'œil droit se contentait de nous scruter avec dédain. On s'était sentis mourir de honte sous le spectre de son regard.

Élevé par une mère italienne monoparentale, il nous faisait tous payer pour sa situation familiale inhabituelle. On était des structures unicellulaires qui avaient des familles. Il était un être complexe qui n'avait qu'une mère, tombée en disgrâce à la suite d'un adultère spectaculaire dont tout le monde parlait, même si l'événement avait eu lieu plus d'une dizaine d'années auparavant. Il y avait de nouvelles informations toutes les semaines. La plupart venaient de sources auxquelles il était plus sage de ne pas faire confiance, mais on s'abreuvait de ces commérages comme s'il s'agissait d'alcool de contrebande. La vie d'Angelo était le feuilleton à la mode. Et il nous méprisait pour notre soif de potins.

On avait quinze ans. Les filles planifiaient déjà de fonder une famille avec lui, tandis que nous aurions tout donné pour être Angi ou, au moins, faire partie de sa tragédie italienne qui avait des effluves d'honneur et de pâtes aux tomates. Lui n'aimait personne sauf la petite Catherine, qui avait l'air d'une première communiante. Elle ne l'a jamais regardé, trop occupée à frôler des notes parfaites à coups de battements de cils naïfs. On avait l'impression d'entendre son cœur se déchirer chaque fois qu'elle papillonnait dans les parages.

C'était à ce moment-là que j'avais commencé à l'appeler Angi dans ma tête. En réalité, c'était une chochotte qui souffrait. Moi aussi je n'avais que ma mère, et je n'en parlais jamais. Je n'accusais pas tout le monde comme il le faisait.

À force de constater son invisibilité devant la petite Catherine, Angi avait succombé aux attaques répétées de Bianca Fourre-tout. Il le ferait une fois, et ce serait avec dégoût, comme un mal nécessaire. Peu de temps après, sa douce et studieuse ingénue était venue le voir et lui avait bousillé la tête avec des mots en forme de machette.

Si tu n'avais pas couché avec Bianca, tu aurais peut-être eu une chance. Il fallait attendre.

Quelques mois plus tard, la petite Catherine était morte d'une attaque cardiaque sur le terrain de ~~soccer~~ kick-ball en pleine récréation.

Angi attendait depuis ce jour. C'était la perception que j'avais de lui, du moins jusqu'à ce que certains événements viennent modifier cette opinion, mais de toute façon, tu le sauras en temps et lieu.

Après coup, il avait commencé à flâner avec moi à la fin des cours. Mis à part le fait que j'avais moi aussi la moitié d'une famille, je ne savais pas ce qu'il me trouvait. Il semblait penser que nos calvaires étaient combinables. J'aimais bien ma vie, mais comme Angi était bouleversé par ce qui lui arrivait, je faisais semblant que, moi aussi, je souffrais de cette absence paternelle. Nos liens étaient basés sur un mensonge, une calamité qui n'était vraie que pour lui. À cet âge, j'étais seulement consterné par mon dépucelage qui n'arrivait pas. Bianca avait beau ouvrir les jambes à tous, elle ne le faisait pas pour moi. C'était une tombola où il y avait assez de prix pour tout le monde. Je n'étais pas tout le monde, j'étais encore un enfant.

La puberté masculine est cruelle. Malgré toutes leurs insécurités, les adolescentes peuvent toujours compter sur une certaine dose de charme qui n'est que très rarement présente chez leurs homologues masculins. Sauf quelques exceptions, elles se développent avec grâce et régularité. Elles savent déjà être des femmes. Les garçons se décomposent avant d'être des hommes. La voix trébuche sur les octaves, les membres ne grandissent pas tous en même temps, comme si certains avaient manqué de soleil pendant trop longtemps. Les poils naissants font des ombres qui salissent nos visages parsemés d'îles volcaniques en éruption. On devient des zombies. Les filles sentent la vanille ; on sent l'inconnu et la négligence de nos parents qui ne savent pas comment nous parler d'hygiène. Puis, on se rattrape à la vieillesse. On dure plus longtemps. On sait faire chavirer de jeunes cœurs avec nos cheveux comme des ciels ombragés et nos pattes d'oie pleines de soleil. On se transforme en trappes à sourire. On prétend au gentleman alors qu'en fait, on est des gamins qui veulent à tout prix jouer encore. Les femmes s'affaissent plus vite, fatiguées par les enfants dont elles s'occupent trop souvent seules, comme ma mère et celle d'Angi. C'est un très mauvais exemple, ma mère est un tank. Un tank coquet et fleuri, mais tank quand même, et au moment où tu liras cette lettre, tu l'auras sûrement déjà remarqué depuis longtemps.

Après le travail, je me suis rendu directement chez Angi avec mon corps qui tremblait sous l'effet de la caféine et mon sommeil qui me talonnait. Dans mon manteau, je suais mon envie de revoir Yvonne. Je laissais passer les minutes pour m'accorder un sursis avant de tomber complètement.

Ça me rappelait un souvenir de mon enfance. J'étais allé pêcher sur la glace avec maman. Une cabane décolorée sur la rivière figée. Il y avait un trou au milieu du plancher, une vitrine opaque vers le gros aquarium qui s'étendait sous nos pieds. Nos lignes de pêche disparaissaient dans les profondeurs de l'eau noire aux reflets verts. J'avais quatre ans et j'étais excité. Ça sentait le froid et les morceaux de foie qu'on harponnait sur les hameçons en faisant des faces de dégoût. Je ne tenais pas en place. Lorsque maman avait sorti le premier poisson de l'eau, je m'étais précipité sur la ligne pour constater notre butin, j'avais glissé et dérapé dans le trou. Mon manteau s'était gavé d'eau et gonflé. Ma mère m'avait récupéré juste à temps avant que je ne sois aspiré par le courant sous la barrière de glace. J'aurais buté sous sa surface jusqu'à ce que mes poumons se saturent d'eau. La sensation ressentie au moment où j'avais attendu qu'on me sauve des griffes de l'eau qui m'aspirait vers le gouffre, c'est exactement ce que je vivais en ce moment.

Sauf que je ne savais pas si j'avais envie d'être récupéré de ce trou.

Parfois, il vaut mieux sombrer plutôt que de ne pas vivre. Parfois, tu ne peux pas savoir dans quelle direction elle est, la planche de salut. Parfois aussi, tu ne veux pas le savoir, et ça, c'est la principale raison pour laquelle je t'écris cette lettre. Je veux te parler de sabotage. D'autosabotage.

Quand je suis arrivé chez Angi, il était assis dans son sofa et écoutait une émission. Sur l'écran, on voyait l'essai sur route au ralenti d'une moto sport toute noire. Une ombre sur le bitume. Le genre d'engin qu'Angi conduisait. C'était le type de gars qui se rendait dans le quartier italien en moto pour aller prendre un cappuccino sur une terrasse même si c'était à moins de dix minutes à pied. Parfois, je l'accompagnais. Au son du moteur trop puissant pour un seul homme, la rue entière se détournait de son activité pour admirer l'arrivée triomphale du héros noir. Angi, c'était Batman en plein jour. La manière qu'il avait de débarquer de sa moto suffisait à faire flageoler quelques paires de jambes, celles des hommes autant que celles des femmes. Il retirait son casque charbon mat et repoussait d'un coup de tête sa frange légendaire qui retombait sur son œil gauche irisé d'argent. La plupart du temps, on prenait notre café à côté de sa bécane de luxe pour qu'on soit associés à ce qu'elle représentait. C'était cinématographique. Le temps élastiqué. Ça me fouettait le visage chaque fois.

Même en tant qu'homme, j'étais capable de dire qu'Angi était beau. Mais ce n'était pas ce qui le définissait, il était juste Angelo, un mâle au physique de gorille, un stéréotype masculin qui n'utilisait pas ses atouts pour son propre compte, car il était doté d'une sensibilité plus grande que la mienne, mieux camouflée, aussi. Avec sa plastique de Batman, j'aurais fait des ravages auprès des filles. Mais la seule chose qui était ravagée était à l'intérieur de moi.

Lors de ces escapades en moto, Angi vendait son image de gloire immortelle à tout le monde. C'était le seul moment où il se permettait d'être à la hauteur de ce qu'il était vraiment.

Une putain de légende.

Lorsque le générique de l'émission a commencé à défiler sur l'écran, mon ami s'est tourné vers moi et a accusé ma présence en tapotant mon épaule de sa grosse main poilue. Il m'a souri et s'est levé pour aller me chercher une bière. J'ai fermé les yeux. J'ai tenté d'imaginer ce qu'Yvonne faisait en ce moment...

Je me doutais bien qu'elle n'était pas tortionnaire de personnes âgées. Elle devait être infirmière à domicile ou quelque chose comme ça. Mais de laisser flotter le suspense, ça me plaisait. Cet aspect de moi a probablement aussi contribué à la débandade qui a suivi. Quand tu laisses flotter le putain de suspense, tu ne poses pas les questions que tu aurais dû poser, tu restes dans le néant, dans le noir, et sache que ce n'est pas une position privilégiée. Les gens qui disent que c'est bien de ne pas savoir sont des imbéciles.

Angi est revenu avec deux bières à bouchon couronne qu'il a débouchées à mains nues. Ça m'a fait rire. J'utilisais un décapsuleur pour ce genre de tâche, il utilisait son épiderme...

Cet homme, tellement viril, n'avait jamais eu de copine. Il attendait quelque chose. Une illumination, la réincarnation de la petite Catherine. J'ignorais comment il faisait pour patienter comme ça. Il y avait bien eu quelques filles, je pense, mais je n'avais aucune preuve tangible de leur existence. J'avais l'impression qu'il cachait tous ses secrets derrière sa frange qui camouflait son œil gauche, une fenêtre sur la partie émotive de son cerveau.

Plusieurs auraient pensé qu'il gâchait sa vie à force de ne pas la vivre. Nous étions bons là-dedans, chacun piégé dans un schéma ridicule. Il attendait la femme qu'il n'avait jamais pu avoir et qui n'existerait peut-être jamais et moi, je me laissais séduire par n'importe qui. Elles me laissaient toutes parce que j'étais nostalgique de la dernière femme qui m'avait fait tourner la tête, et elle tournait, tournait, sans jamais pouvoir s'arrêter, se fixer sur l'une de ces créatures pour lesquelles j'aurais tout donné, pourtant.

Il y avait Mian. Quand j'étais avec elle, je ne pensais qu'à elle, mais je savais que ça n'allait nulle part, alors j'étais nostalgique de nous deux avant même que ça se termine. C'était nul. J'étais triste de la relation que nous n'aurions jamais.

Il y avait ce défaitisme qui nous caractérisait, Angi et moi, cette certitude qu'on n'était pas faits pour la vie. On avait été assemblés à la va-vite et il nous manquait des éléments, des composantes essentielles. On était des défauts de fabrication ambulants. Avait-il su avant moi qu'on était semblables, qu'il fallait s'épauler pour contrer nos handicaps? Était-ce pour ça qu'il m'avait repéré dans cette foule d'adolescents à l'école secondaire?

Angi était mélancolique à sa manière. On avait tous les deux des puffs de nuages gris dans la tête à la place de cerveaux roses et bien irrigués. On était juste cons, peut-être.

Mon téléphone portable s'est mis à vibrer dans ma poche arrière. Je me suis excusé à Batman même si aucune parole n'avait été prononcée depuis mon arrivée. Je n'interrompais rien, juste le silence désolé de nos deux vies. J'espérais que c'était Yvonne qui me convoquait, qui voulait partager Cécile Vaillancourt/alzheimer avec moi, mais non, c'était ma mère.

Avant qu'elle commence à parler, je l'ai entendue inspirer dans l'émetteur et j'ai imaginé sa main ridée sur le combiné de son téléphone, celui à roulette qui avait une drôle de couleur. Une nuance qui n'aurait jamais dû exister. Quand je pensais à l'employé qui avait été en charge de trouver des teintes adéquates pour ces téléphones et qui, en face de cette couleur néfaste pour la santé ~~oculaire~~, avait dit Eurêka, j'avais envie de lui envoyer une gomme à effacer sur le crâne, quelque chose qui ne causait aucun dommage, mais qui humiliait.

Alexi, mon chou. C'est maman. Est-ce que je te dérange ?

J'ai regardé Angi, qui était absorbé par une publicité de barbecue, et j'ai dit Non.

Je viens de parler à ton frère.

Ah !

Je ne savais jamais quoi répondre à ça. Ma mère essayait depuis des années de me rapprocher d'Adrien alors qu'il n'y avait jamais rien eu à rapprocher. On était des aimants dépolarisés. Des danseurs paumés lors du bal des finissants, ceux qui se retrouvent à danser ensemble par défaut et qui, pour être certains de ne pas trop se toucher, gardent les coudes bien barrés. Regarder ailleurs surtout, vers les autres, les plus attrayants...

L'utérus de ma mère avait été un ring de boxe aux frontières rebondissantes. On s'était balancé des coups de poing pendant neuf mois. Nos têtes à peine formées, comme des blocs de gélatine, avaient encaissé ces assauts répétés. Ma mère n'avait presque pas dormi durant les derniers mois de sa grossesse, victime de nos combats sans fin. Ça, c'est ce qu'elle me racontait, car je n'avais aucun souvenir de cette période, mais si je me fiais à la tangente qui avait caractérisé notre enfance, il était plus probable qu'Adrien ait été la partie hostile du bedon de maman et moi, le réceptacle de son amour pour le pugilat.

Je soupçonnais mon frère d'avoir toujours voulu partir rejoindre notre père. Il n'en avait jamais parlé, mais ça se sentait. Il en voulait à ma mère de ne pas avoir su garder cet homme volatil, de ne pas l'avoir enchaîné avec nous pour qu'il ne s'échappe pas comme une montgolfière. Avec une certitude lente. Un jour, ce ballon surchauffé lui aurait éclaté au visage de toute façon. Paf!

Adrien était né avec la honte de ma mère et de moi. Je ne savais pas qu'un tel sentiment pouvait être inné. Lui et moi étions si différents que personne ne pouvait soupçonner que nous étions des frères, encore moins des jumeaux. Pendant que notre mère s'appliquait à établir un statu quo entre nous, on faisait tout pour ne jamais être ensemble, pour s'éviter. On n'était jamais dans les mêmes classes, on ne mangeait jamais au même endroit, au même moment. On ne participait pas aux mêmes activités. On niait l'existence de l'autre. Ça compliquait tout. C'était immonde.

La seule chose qui nous rattachait était que j'avais des rages de tarte aux bananes chaque fois qu'il faisait une psychose. C'était illogique, mais c'était quand même la vérité. Je ne savais pas comment ça fonctionnait. J'avais peur que mes rages soient comme une télécommande qui avait le pouvoir de déclencher ses crises. Il revenait de l'hôpital avec des cernes sous les yeux et des désirs de vengeance. Je m'appliquais à éviter de penser à toute chose qui se rapprochait d'une banane. C'était difficile parce que c'était mon fruit préféré.

Ça faisait quinze ans que je n'avais pas vu mon frère et ma mère me parlait de lui du bout des lèvres, comme si elle récitait un tract politique dont elle ne connaissait pas la portée. Elle décrivait les faits de la vie d'Adrien avec des mots qui lui avaient été mis dans la bouche par lui. Il était mythomane. La moitié des choses qu'il proférait se révélaient fausses ou déformées. Ses mots étaient des plaques de goudron chauffant au soleil et prenant de l'expansion. Il s'inventait une vie en diamants taillés de mains expertes. Chaque facette avait été sculptée, étudiée, et il y mirait son reflet avec un sourire ~~de psychopathe~~ sardonique.

Je ne parlais jamais de lui. Ceux qui connaissaient notre histoire n'insistaient pas. Pour moi, il n'existait pas.

J'ai laissé ma mère babiller pendant un certain temps en étudiant Angi et son air désabusé. Elle s'entêtait à décrire des épisodes où Adrien avait parlé de moi. Elle tentait de les analyser en prêtant à mon frère des intentions pleines de regrets qui n'avaient pas lieu d'être puisqu'il n'y avait rien à regretter. On était allergiques l'un à l'autre et aucun de nous deux n'était réellement fautif.

Parfois, lorsqu'un souvenir de mon enfance me revenait en tête, l'image de mon frère s'estompait. J'oubliais même qu'il avait fait partie de mon quotidien pendant tant d'années. Ma mémoire se refaçonnait pour l'exclure de ma tête. Un jour, il n'y aurait plus d'Adrien dans ces images jaunies comme de vieilles photographies.

Il modifiait son présent pour faire semblant que la vie le chérissait. Je modifiais mon passé pour qu'Adrien, garçon ombrageux qui détestait ma mère pour sa solitude, n'apparaisse plus dans le flux de ma nostalgie.

Ma mère continuait de m'inviter chaque fois qu'elle allait déjeuner avec lui, ce qui était en fait un prétexte pour lui prêter de l'argent. Elle était tenace, elle complotait en plein jour. Je ne savais plus comment lui dire de baisser les bras. Elle était la résistance d'une guerre finie depuis longtemps, mais qui a laissé des frontières infranchissables.

Maman, je dois te laisser, je suis avec Angelo.

J'ai entendu son cœur tressauter. Elle avait un faible pour mon ami et le traitait comme une icône. Je la soupçonnais parfois de le mettre juste derrière Jésus dans le palmarès des personnes importantes dans sa vie. Elle avait même une photo de lui sur sa table de chevet, à côté de la mienne et de celle de mon frère à notre naissance. Elle m'a dit Je veux lui parler.

Ils ont discuté comme des fillettes pendant quelques minutes. Ma mère était la seule personne qui réussissait à lui extorquer plus d'une phrase à la fois. Je n'avais aucune idée de ce dont ils parlaient. Angi souriait, riait, s'amusait.

Mais aussitôt qu'il a raccroché, il s'est éteint comme une veilleuse à minuterie programmée pour cesser ses activités au moment où l'on n'avait plus besoin d'elle.

Pour tenter de le ranimer, parce que j'avais besoin de lui, j'ai lancé quelque chose dans l'air et j'ai fait comme si c'était une anecdote puérile. En fait, je n'en pouvais plus, c'est sorti tout seul.

J'ai rencontré une fille.

Il a fait quelque chose avec ses lèvres, une moue d'incompréhension.

Et Mian ?

Hum, elle est partie.

Il jonglait avec des mots dans sa tête, ça se voyait à son air concentré. Je ne savais pas ce qui le troublait. Il a allongé le bras pour prendre le bol d'arachides et me l'a tendu, comme si c'était une réponse convenable. J'ai refusé son offre et il a déposé le bol sur la table, vaguement déçu. J'ai repensé à cette histoire de microphone caché dans les arachides et je me suis dit que j'avais une imagination de débile.

J'aurais eu envie qu'il me demande de lui parler d'Yvonne. J'avais sa description qui me roulait dans la bouche, quelque chose de touchant et de comique à la fois. Je ne voulais pas lui imposer mon dégueulis fleur bleue, alors je l'ai ravalé. Ça goûtait le miel et la ouate.

Fais attention, mec.

Je savais que c'était pour me protéger qu'il me disait ça, mais sur le moment, j'aurais préféré qu'il m'encourage, qu'il démontre la même verve qu'il avait eue avec ma mère plus tôt. Je sentais qu'on s'irritait avec nos modes de vie si différents et pourtant aussi pathétiques l'un que l'autre. On était des putains de ploucs.

À la télévision, le premier *Alien* a commencé. Angi a monté le volume pour faire taire la conversation qui menaçait le silence. Je me suis endormi au milieu du film et, juste avant la scène où Sigourney Weaver se retrouve en sous-vêtements, il m'a réveillé pour que je ne rate pas ce moment mythique. On a ri comme des gamins parce que c'était bien ce qu'on était.

On a englouti nos états d'âme sous plusieurs litres de bière. C'était festif. De belles illusions.

Quand je l'ai quitté, j'ai repensé à son avertissement et je me suis dit qu'il avait raison. Mais parfois, la raison, on n'en a rien à foutre.

Je suis rentré chez moi en courant, mon état d'ébriété me motivait comme un entraîneur survolté. Mes bottes n'avaient aucune emprise sur la glace et je faisais du surplace. Beaucoup d'énergie se dépensait, alors que j'avançais à peine. Mais j'avais besoin de courir. Dans mes oreilles, il y avait un remix de la pièce *Scary Monsters and Nice Sprites* de Skrillex. Je me sentais puissant, mais surtout, je me sentais con. Ce n'était que des sons électroniques, mais ça me gonflait l'ego. Cette musique contenait un moment d'accalmie qui se soldait par une catharsis sonore. Ça donnait envie de se sentir invincible.

Je me suis planté. Mon corps a perdu complètement le contact avec la terre ferme et j'ai flotté pendant un centième de seconde. Ça m'a paru long. J'anticipais les retrouvailles avec le sol. Une fois allongé sur le dos, j'ai regardé mon souffle cristallisé qui brouillait la noirceur du ciel. Ça sentait un peu ~~la robine~~ le jus de vieille chaussette.

Je sais que tu me juges en ce moment. Je ne suis pas fier de cet épisode, mais j'ai choisi d'être honnête ~~la plupart du temps~~, et l'honnêteté à un prix. Tu m'enverras la facture plus tard.

Mon derrière pulsait de douleur. J'ai pensé que cette chute était un avertissement.

En me relevant, j'ai fait comme si je trouvais ça drôle moi aussi d'avoir perdu pied, juste au cas où quelqu'un aurait vu la scène. Mais en réalité, j'étais irrité, et aussi un peu ~~en tabarnak~~ alarmé. Je me demandais si je ne ferais pas mieux de tout arrêter. Cette histoire avec Yvonne n'avait aucun sens, c'était un ricochet odieux. Quel con j'étais ! Pas un homme. Une pâte molle qui se laissait pétrir par la vie alors que j'aurais dû en être le sculpteur. L'artiste.

Je n'ai pas posé ma main sur mon derrière parce que même le frottement de mon pantalon provoquait une douleur indicible. J'avais sûrement le coccyx fracturé. Il me faudrait un coussin troué pour m'asseoir. L'accessoire mondain par excellence pour être dans le coup.

Au même moment, j'ai pensé qu'Yvonne aimerait probablement ça. Elle rirait de moi, mais elle le ferait d'une manière si charismatique, que la situation finirait par me plaire. J'imaginais ses lèvres mates qui s'ouvriraient comme un rideau en velours sur l'éclat de ses dents. Une pièce de théâtre miniature.

Elle coincerait sa petite langue entre les deux rangées de perles alignées pour ne pas trop rire. Elle en serait incapable. Et moi, je serais incapable de lui résister.

Déjà, ma douleur avait meilleur goût.

J'ai boitillé jusque chez moi, mais je me rendais bien compte que ça ne servait à rien. La morsure était la même pour chaque foulée, gauche ou droite. La musique avait maintenant des relents amers. Je l'ai arrêtée. Je me sentais un peu plus vulnérable. J'avais l'impression de m'être pris le derrière dans un piège à ours.

L'escalier qui menait à mon appartement, c'était le ~~putain de~~ Machu Picchu. Je n'étais pas content. J'avais envie de faire la grève de ma vie, mais je savais que je ne ferais rien. Je n'avais aucune conviction.

J'ai regardé mes courriels debout, penché vers l'avant. Cette position semblait être la meilleure jusqu'à maintenant. J'avais environ cinquante messages d'alerte qui me parlaient d'événements qui n'avaient aucun lien avec ma vie. C'était comme regarder un journal avec des faits divers d'un autre pays. Je n'en avais rien à ~~branler~~ cirer. Puis, entouré de ces anecdotes négligeables, il y avait le nom de Mian.

Deux syllabes.

Une onde sismique.

De la résonance à n'en plus finir.

Je n'ai pas eu le courage d'ouvrir son message tout de suite. J'ai détourné le regard pour ne pas être la cible de cette flèche qui fonçait droit sur moi, qui fendait l'air avec son parcours infaillible. Je me suis rapidement rendu compte que ce n'était pas une flèche ordinaire. C'était une arme à tête chercheuse. Ça ne servait à rien que j'ignore ce courriel qui semblait pulser sur l'écran. C'était comme une publicité qui utilise les stratagèmes les plus déloyaux pour capter l'attention du public. Ça fonctionnait.

Alors j'ai fait comme n'importe quel con qui ne sait pas gérer ses émotions et je me suis envoyé ~~trois~~ cinq *shooters* de rhum dans la gueule les uns à la suite des autres. Une belle file indienne docile. Pour réchauffer ma poitrine. Il fallait qu'elle soit prête à accueillir le coup. Je respirais déjà trop fort.

Je voulais m'asseoir pour ne pas avoir à tomber encore. J'ai fait une tentative. Impossible.

J'ai débranché mon ordinateur et je l'ai apporté sur mon lit. Je me suis couché sur le ventre en face de l'écran. Je ne me sentais pas viril. Ça n'arrangeait pas les choses.

Au début, je ne voyais rien. Pas un seul mot. C'était du cyrillique, du maltais, des signes qui se déplaçaient sur l'écran, qui se couraient après, qui se cachaient. C'était la récréation. J'essayais de faire une mise au point. Des mots-clés ont commencé à émerger de ce gruau de lettres. Mais ça n'allait pas. Il me fallait des phrases complètes.

Deux autres *shooters*.

Je me suis attardé un peu devant l'évier de la cuisine. Je ne savais pas ce que je faisais là. J'ai souri en fermant un peu les yeux. Je me balançais sans le vouloir. Je tanguais sur une mer qui allait bientôt m'engouffrer.

En revenant devant mon ordinateur, j'ai vu qu'il s'était mis en état de veille, le traître. J'essayais de le réactiver, mais il ne voulait pas accepter le mot de passe que je lui faisais gober. Je manquais de précision avec mes mains. Elles tapaient n'importe quoi. J'ai sacré dans ma tête. Mon ventre a glouglouté.

Puis, j'ai vomi sur mon clavier.

C'est là que je me suis rendu compte de ce que je faisais plus tôt au-dessus de l'évier. J'attendais le déluge.

Il y a eu des sons louches, un peu de fumée. Puis plus rien. Je me suis demandé si c'était ça, la mort.

J'ai essayé de réanimer le cadavre en tapotant n'importe quelle touche engloutie sous la mare de vomi. Le clapotis ne me plaisait pas. La texture non plus. Mais je me suis dit qu'un héros ne s'arrête pas devant l'adversité. Il fonce. Il fait tout ce qu'il peut pour sauver les âmes en détresse.

Je n'étais pas un héros.

Je n'avais jamais sauvé une seule âme en détresse, pas même la mienne.

J'ai refermé le panneau de mon ordinateur mort avec la force de mon désarroi et ça m'a éclaboussé le visage. En ~~sacrant comme un ivrogne qui vient de se péter la tête sur un cadre de porte trop bas et qui s'est pissé dessus au même moment~~ ronchonnant, j'ai fait une boule avec le défunt, l'édredon et mes draps pour ramasser le dégât et je l'ai balancée dans un sac vert avant de m'effondrer sur le matelas nu. J'avais mal calculé. Fallait pas que je me mette sur le dos. J'ai serré les dents en me disant que je serais capable de résister à la douleur.

Pas capable.

Ça m'a pris plus de trente secondes pour me retourner sur le ventre.

Trente secondes, ça peut paraître long quand tu as l'impression qu'on te broche sans cesse le derrière avec une agrafeuse de taille industrielle.

Une odeur infecte dans les narines, j'ai attendu la mort.

La mort est venue quand mon réveille-matin a retenti quelques heures plus tard. On aurait dit qu'il était branché sur des amplificateurs pleins de basses et qu'un groupe de métal expérimental me faisait un concert privé. J'avais la tête qui pesait trois fois plus que d'habitude, des croûtes de vomi sur le pourtour de la bouche et l'impression de m'être fait fourrer un globe terrestre dans le rectum. Puis, il y avait ce message de Mian que je n'avais pas pu déchiffrer la veille.

Ça faisait beaucoup ~~trop~~.

Je suis arrivé au bureau avec une expression de fin du monde sur le visage. J'avais envie de faire payer mon infortune à tous mes collègues, de demander l'aumône. Ce qui m'irritait le plus, c'était de savoir que je ne pourrais pas regarder mes courriels avant la fin de la journée. Il avait été établi, à la suite d'une proposition de mon cru, que seuls les comptes de messagerie professionnels pouvaient être visités. Tous les autres systèmes étaient bloqués. Aussi, nous laissions tous nos cellulaires à l'entrée du bureau pour ne pas être tentés de les utiliser pendant les heures de travail. Certains écrans brillaient plus que d'autres...

De toute façon, je n'avais pas ce genre de téléphone.

J'avais un appareil tout simple qui me transmettait des appels et qui me permettait de parler à des gens. C'était archaïque, c'était romantique.

Sauf que le romantisme, je l'avais à la même place que le globe terrestre en ce moment.

Ça et un téléphone à gobelets, ça revenait au même, c'était de la merde.

Il y avait la pause du lunch, mais ma mère a débarqué avec ses yeux bleu pâle humides, son habit du dimanche et un riz pilaf dans un petit plat en plastique vert. Elle m'a parlé de mon frère pendant l'heure complète du repas, répétant ce qu'elle m'avait dit la veille. C'était comme écouter un mauvais disque une deuxième fois. Je ne voulais pas me fâcher, ma mère avait les yeux qui flottaient dans leurs orifices. Ça menaçait de déborder. La situation commençait à lui peser. Je sentais qu'elle aurait souhaité une trêve avec le passage du temps. Dans ses rêves, les vieilles rancunes s'envolaient comme des oiseaux charognards qui en ont fini avec leur butin et qui laissent seulement des os tout propres.

Adrien et moi étions sur des radeaux qui ne voguaient pas sur le même océan. Si on avait eu envie de pagayer dans la même direction avec toute la force de nos bras, on ne se serait jamais rejoints.

J'avais l'impression que ma mère allait mourir avec la désolation dans le ventre.

Je ne sais pas si c'était en raison de la lueur folle que j'avais dans le regard, mais on m'a laissé tranquille toute la journée. J'ai dessiné des plans techniques en restant debout, mais la seule chose que j'avais en tête, c'était de repérer l'endroit où j'avais vu un café Internet pour la dernière fois.

En entrant dans l'établissement, j'ai tout de suite senti que ce n'était pas le genre d'environnement propice à la lecture d'un courriel décisif. Il y avait la faune de jeunes hommes à peine formés qui jouaient en ligne avec des Japonais du même calibre.

C'était le genre de spécimen dont je t'ai parlé plus tôt lorsque je faisais référence à l'adolescence masculine.

Il y avait les voyageurs qui écrivaient des messages à leurs familles, des missives remplies de découvertes, d'espoir, de vie. Il y avait une fille qui piochait de toutes ses forces sur le clavier, comme si elle essayait d'exhumer un cadavre. Le cadavre de sa relation morte depuis peu, peut-être. Tout le monde entendait sa furie, sauf ceux qui avaient des casques d'écoute sur les oreilles. CLIC CLIC CLIC CLIC CLIC.

Il y avait moi. CLIC CLIC.

J'ai senti le besoin d'expliquer à l'employé la raison de ma présence dans son établissement, mais je me suis ravisé CLIC quand il a zieuté l'écran d'un grand échalas dont l'avatar aux allures de Thor bataillait sauvagement avec un troll. CLIC CLIC CLIC CLIC, il n'était pas disposé à entendre ma tirade.

Je ne me suis pas assis. Peut-être que j'aurais dû.

Alexi CLIC CLIC CLIC CLIC CLIC CLIC,

Je me rends compte, tu sais, que je te blesse trop souvent. Je ne sais pas si tu vas me croire si je te dis que c'est la dernière chose que je veux CLIC. J'ai beaucoup pensé à toi dans les derniers jours, et il y a des choses que je devrais te dire. CLIC CLIC CLIC CLIC CLIC CLIC CLIC CLIC CLIC!

Je ne comprends pas pourquoi CLLIIIICCCCCCCC je tergiverse autant. Tu es beau, intelligent, sensible, et j'en passe. Quelque chose de très fort m'attache à toi, et aussi parfois, me pousse à m'éloigner. Je n'ai jamais été capable d'être avec personne. Beaucoup d'autres ont souffert avant toi. Est-ce que je suis capable d'aimer? Je ne sais pas.

Je veux prendre réellement le temps de me pencher sur cette question. Je ne veux pas te demander de m'attendre, je ne peux pas. Mais sache que tu occupes une place très importante dans mon cœur et que je ne peux pas le nier.

J'espère que tu comprends ce que je te dis.

J'espère qu'on pourra se revoir.

Ta Mian.

Ta Mian…

TA FUCKING MIAN ! CCCCCCLLLLLLLLLIIIIIIIIIIIIIIIIIICCCCCCCC !

Je m'excuse si je m'emporte parfois, mais c'est important que tu comprennes la gravité de certaines situations.

J'ai regardé la fille qui tapait sur le clavier avec ses doigts en marteau-piqueur, elle scrutait l'écran. Une larme lui ravinait la joue. Putain, je le sentais, on était dans la même galère.

Elle m'a vu. Il y avait probablement un typhon au-dessus de ma tête. Dans les yeux de la fille, des éclairs. Dans nos deux poitrines, le fracas du tonnerre. Je transpirais. Elle a appuyé sur ENTER sans détourner le regard. J'ai senti qu'elle voulait me rendre responsable de son malheur, un peu. Je l'étais, un peu. J'étais un homme.

J'ai eu envie de rire et de pleurer en même temps. Alors ma bouche a fait comme un hoquet qui exprimait les deux. J'étais aussi un peu outré que Mian ait choisi ce moment-là pour me parler. Elle n'avait jamais aligné plus de deux phrases au sujet des sentiments qu'elle ressentait pour moi et maintenant, alors qu'Yvonne menaçait de s'emparer de ma tête, elle se lançait.

J'ai regardé autour de moi pour partager mon indignation avec quelqu'un. Tout le monde fouettait son propre chat.

Pour la première fois, j'ai senti qu'elle me tendait les rênes qui contrôlaient notre relation. Elle ne me demandait pas de l'attendre, mais c'était bien ce qu'elle voulait, au fond. Sinon, elle n'aurait pas écrit ça. Elle m'aurait laissé dans le néant comme toutes les autres fois où elle m'avait quitté.

Soudain, j'ai eu une forte envie de ne pas l'attendre. Par vengeance, et aussi parce que j'avais Yvonne. Enfin, elle ne m'appartenait pas, mais je pouvais toujours m'accrocher à son souvenir, le parasiter jusqu'à ce que j'en suce tout le jus. Ça ferait changement.

L'autre fille avait déserté son poste. Je me suis déconnecté à mon tour.

En sortant du café Internet, j'ai appelé Yvonne. La sonnerie a eu le temps de retentir plusieurs fois avant que je commence à paniquer à l'idée de devoir lui expliquer que je pensais à elle. J'ai raccroché.

Quelques secondes plus tard, mon téléphone sonnait et c'était Yvonne. J'ai répondu en faisant semblant d'être content et étonné à la fois, enfin j'étais content, je faisais juste semblant d'être étonné. Elle a dit Tu m'as appelée ?

Non. C'est sûrement une erreur. Mon téléphone appelle souvent des gens sans que je m'en rende compte. Des *butt calls*, quoi.

Bootie calls ?

Non, non…

La nervosité m'a fait rire et ça ne sonnait pas comme je voulais.

Qu'est-ce que tu fais en ce moment ? T'as envie de me voir ?

Oui, j'avais envie de la voir, plus que n'importe quoi.

Je suis en train de travailler chez quelqu'un. Tu peux passer si tu veux. Ne cogne pas. Entre.

Elle m'a donné une adresse. C'était loin, mais ça me donnerait le temps de me calmer.

J'avais mal évalué la chose. Mon agitation a seulement eu le temps de prendre de l'expansion. J'étais un cuiseur vapeur ambulant.

Quand je suis arrivé devant la porte d'entrée de la petite maison de ville, j'ai compté jusqu'à trois plusieurs fois avant de tourner la poignée et de pénétrer dans le vestibule.

J'ai entendu des pas feutrés. Yvonne est apparue. Elle a mis son index devant sa bouche pour me faire taire au cas où j'aurais voulu lui parler tout de suite. Ce n'était pas nécessaire. J'étais pétrifié.

Elle était habillée d'un uniforme, mais ce n'était pas le sarrau traditionnel d'une infirmière. C'était beaucoup moins asexué. Une chemise bleue cintrée. Au-dessus de son sein gauche, il y avait un écusson blanc rectangulaire. Son nom brodé en rouge y apparaissait. Une coiffe datant de plusieurs décennies campait sur sa chevelure noire en broussaille. Des pantalons sobres, fonctionnels, qui avantageaient ses petites jambes un peu arquées. Des chaussures médicales qui semblaient être l'apex de sa toilette.

Hum… où est ton, hum… patient?

Elle m'a fait de gros yeux avant de mimer des mots avec sa bouche. Aucun son ne sortait. Ça ressemblait à Je n'ai techniquement pas le droit de recevoir des invités.

Elle a articulé le mot « techniquement » en détachant les syllabes pour statuer que ce terme ne s'appliquait pas vraiment à elle.

La maison sentait l'humidité, les copeaux de bois et le maïs soufflé.

Un long couloir brun sombre s'étendait devant nous. On aurait dit l'intérieur d'un intestin.

Yvonne semblait entourée d'un halo qui polissait ses traits. Elle me faisait penser à l'icône de la Vierge Marie à l'église où j'avais l'habitude d'aller avec ma mère.

Malgré ses chaussures silencieuses, elle a marché sur la pointe des pieds pour se rendre à la première pièce sur notre gauche. Je l'ai imitée. On avait l'air con, mais c'était excitant. Je me faisais des scénarios dans ma tête. Des trucs de petit gars, des missions secrètes.

La cuisine était minuscule. Ce n'était pas une cuisine de femme. C'était fonctionnel, sans coquetterie. C'était orange et beige. Ça sentait un peu la nourriture collée, calcinée.

Elle m'a fait asseoir à la table. Malgré moi, j'ai plissé mon visage comme si j'étais en train d'accoucher d'un séquoia. Elle a sorti un crayon et un calepin.

Ça a l'air douloureux de t'asseoir. As-tu des hémorroïdes ?

Indigné, j'ai secoué la tête. J'ai mimé avec mes doigts un petit bonhomme qui marche, qui glisse et qui se casse la gueule. C'était du très mauvais théâtre, mais ça l'a fait rire. Elle est allée me chercher un coussin rose délavé. Je n'ai pas voulu lui dire que le bouton qui siégeait au milieu du velours me titillait un peu sciait la raie. J'ai regardé autour de moi avec le visage plein d'interrogations.

Elle a griffonné pendant quelques minutes avant de me tendre le cahier spiralé. Une ampoule nue vacillait à peine au-dessus de ma tête, le fil électrique un peu à découvert, le genre d'installation qui te garantit un suicide réussi au cas où tu aimerais mourir calciné comme une rôtie oubliée dans un grille-pain à puissance maximale. J'ai lu le message d'Yvonne en tentant de me surélever un peu de mon siège. Je sentais que mes cuisses ne tiendraient pas.

Je fais du gardiennage de personnes âgées qui ont des troubles mentaux, mais qui sont aptes à vivre seules. Je suis payée pour dormir chez elles. Je les mets au lit et je fais un peu de ménage pour les aider. Je m'en vais quand elles se réveillent le matin. Si jamais il y a un problème durant la nuit, j'appelle l'ambulance.

Et ton uniforme ?

Non réglementaire. Pour le plaisir. Ça a l'air de les rassurer aussi. J'ai souri. Ça me rassurait.

Au loin, on entendait des grincements métalliques. Je me suis raidi. Elle a dessiné un hamster dans une roue et a écrit « Vermine ». C'était son nom. Je me suis souvenu des fiches sur le mur de l'appartement d'Yvonne.

Elle m'a mis un bol de maïs soufflé sous le nez. Ça sentait le cinéma.

On a mangé les grains de popcorn en essayant de faire le moins de bruit possible. On les laissait fondre sur la langue. Ça pétillait dans ma bouche. Ça explosait dans ma tête. Un feu d'artifice digne de Disney. Avec une princesse, des papillons, des oiseaux qui gazouillent, et tout le stock candide qui vient avec.

Yvonne est allée chercher Vermine, l'a installé entre nous sur la table et lui a donné deux grains de maïs à gruger. Le hamster s'est délesté de quelques crottes oblongues. Yvonne a éternué dans son coude.

On a continué à discuter sous forme de missives pendant quelques minutes. On essayait de faire parler l'autre, mais quand on est deux à jouer à ce jeu, on finit toujours par parler de soi. Sinon, on se serait juste envoyé des questions qui seraient restées sans réponses. Yvonne a éternué dans sa main.

C'est difficile de maintenir l'équilibre d'une conversation. Je tentais de faire des phrases de la même longueur que ses réponses précédentes. Je ne voulais pas être dans la lumière trop longtemps. Je ne voulais voir qu'elle, parce que je m'étais assez vu. J'étais épuisé d'être le personnage principal de ma vie. Un personnage fade, inintéressant en plus.

L'écriture d'Yvonne était presque illisible. Elle griffonnait avec fureur. Le rythme de ses coups de crayon sur le papier faisait pulser mon cœur. Éternué, éternué, éternué.

Ses joues s'empourpraient. Elle sentait le savon, le propre. L'angle intérieur de ses coudes semblait humide. Elle mâchouillait les derniers grains de maïs non éclatés, les gardait en bouche, les faisait rouler entre ses dents immaculées. Le bruissement que ça faisait… j'étais déjà conquis, depuis longtemps, mais tout ça scellait un genre de pacte. Je venais de signer un contrat de mariage dans ma tête.

Le hamster voulait se suicider en se jetant du haut de la table, ou bien il avait des fantasmes d'écureuil volant. Je le récupérais à chacune de ses tentatives.

Puis, il y a eu un bip bip.

Je pensais que c'était le patient d'Yvonne qui l'appelait depuis sa chambre, mais non. Pendant un moment, elle a fait semblant que cette exclamation sonore n'avait pas eu lieu. Ça paraissait qu'elle cachait quelque chose parce qu'elle se tortillait. Si ma mère avait été là, elle l'aurait traitée de ver à choux. Plus personne, maintenant, ne parlait de ver à choux.

À force de lui faire des yeux insistants, elle a roulé les siens dans leurs orbites et a fouillé dans la poche de son pantalon. Elle en a ressorti un petit appareil jaune en forme de cœur, a pitonné quelques secondes et me l'a tendu. Ça me rappelait quelque chose…

Yvonne avait un tamagoshi !

Un putain de tamagoshi !

J'ai pensé tout abandonner là, mais je me suis ravisé. J'ai essayé de ne pas la juger, de toutes mes forces. À la place, j'ai exigé une explication qui m'est venue sous la force d'un long paragraphe écrit dans son carnet. En même temps, elle s'astiquait l'œil et ça faisait un bruit juteux. On aurait dit qu'elle n'allait jamais arrêter et que si elle avait pu, elle aurait extrait l'œil de son orbite pour le rincer à la *hose*.

J'ai lu ce qu'elle avait écrit. En gros, ses grands-parents lui avaient acheté un tamagoshi pour sa fête de seize ans, juste après qu'elle eut reçu un diagnostic d'allergies à tout ce qui avait des yeux. Yvonne le gardait en vie depuis.

Je ne sais pas si tu sais à quel point c'est difficile de garder un tamagoshi en vie, mais au moment où j'ai su qu'elle avait réussi cet exploit pendant plus de dix-sept ans, je lui ai tout pardonné. Même ~~toutes les~~ certaines choses qu'elle ferait dans le futur.

YVONNE!

Le patient a râlé depuis sa chambre. Je me suis senti petit dans mon short et j'ai serré les fesses parce que j'avais l'impression qu'on allait moins me découvrir si je le faisais. Ça m'a bousillé le coccyx encore plus. Je crois l'avoir entendu gémir entre mes fesses.

YVONNE!

Elle s'est levée en rempochant son tamagoshi avant de se diriger vers la chambre de son patient. Au loin, j'ai entendu Tu as un invité, Yvonne? Un petit ami?

Mais qu'est-ce que vous allez inventer là, monsieur Doyon?

Je vous entends ne pas vous dire des choses pas catholiques.

…

Tu veux bien aller me chercher une bière au dépanneur? Je vais passer l'ardoise sur ton petit délit. Pis une forte là, pas du jus d'alcool, j'veux en avoir pour mon cinq piasses.

Je me suis demandé ce que c'était, du jus d'alcool…

Alexi, tu viens ici une minute ?

À contrecœur, je me suis dirigé vers l'antre du type. Ça sentait le vieux dodo là-dedans. Mais quand je l'ai vu, avec ses cheveux comme des filaments de barbe à papa, son regard amoureux et ses doigts tout croches qui naviguaient jusqu'à son portefeuille, j'ai compris pourquoi Yvonne faisait ça. Ses petits vieux étaient des machines à faire dégouliner les cœurs. Avec un peu de chance, ça coulait un peu partout et ça faisait des dégâts irrémédiables de sentiments en sucre d'orge.

Monsieur Doyon a fouillé dans l'épave de son portefeuille et en a sorti un billet aussi fripé que son enveloppe charnelle. On aurait dit qu'il le traînait depuis la guerre, la première. Il l'a minouché comme il aurait aimé caresser la peau d'Yvonne, puis a dit Gâte-toi donc avec un petit quelque chose, ma coucoune. Pis toé, mon beau grand garçon, t'es ben mieux de prendre soin de cette fille-là. Y en a pas beaucoup des d'même.

Monsieur Doyon avait raison, il n'y en avait qu'une.

Un sourire édenté a troué son visage. Un autre, plus substantiel, dans un verre d'eau déposé sur sa table de nuit, a complété le tableau. Quand on surperposait ensemble les deux parties de son sourire, on sentait qu'il avait dû faire frémir quelques cœurs dans sa jeunesse.

On a marché en silence jusqu'au dépanneur. Yvonne avait pris soin de mettre Vermine dans sa poche de manteau pour lui faire prendre l'air. Je n'ai pas bronché, même si je me disais qu'il était plus susceptible d'étouffer que de s'aérer le museau. J'ai choisi une bière en canette parce que ça cadrait mieux avec ce que je m'imaginais de monsieur Doyon, puis comme « petit quelque chose », on s'est équipés en jujubes, ceux qui te restent collés dans les dents jusqu'à ton prochain rendez-vous chez le dentiste.

Et rendu là, tu mens en disant que tu te passes le fil dentaire tous les soirs, comme si…

Vers minuit, Yvonne a affiché un air désolé et m'a fait savoir que je ne pouvais pas rester. L'éthique.

Je ne l'avais pas encore embrassée.

Je n'ai pas voulu lui demander si on se reverrait, mais j'étais certain que mes yeux me trahissaient. Elle a fait un signe de téléphone avec sa main. Un clin d'œil aussi. C'était beau parce qu'elle se moquait un peu. Puis elle a éternué.

J'ai ouvert la porte et je me suis retourné une dernière fois. Je ne voulais ~~pas~~ plus partir. Elle a marché vers la cuisine. Au dernier moment, elle a fait demi-tour, s'est mise à courir dans ma direction et m'a sauté dans les bras. Elle était légère, sauf que j'ai senti une secousse dont les ondes se sont répercutées sur mon coccyx qui pulsait de douleur. J'ai couiné un peu.

J'avais ses lèvres à portée de bouche. Je ne sais pas ce qui m'a pris, mais je l'ai embrassée comme un héros. C'était parfait. Sauf qu'elle a éternué un peu sur mon visage après.

Quand j'ai voulu la déposer au sol, elle est restée cramponnée à moi. Elle me parasitait le corps et la tête. C'était exactement ce que j'avais l'intention de faire avec elle.

J'ai senti qu'on s'entendrait bien.

Tu ne réponds pas à mon courriel… Est-ce qu'on peut se voir ?

C'était le message de Mian que j'ai reçu quelques jours plus tard.

Il y avait de la supplication qui s'insérait entre les mots. Je le sentais, je le goûtais.

Bien sûr qu'on pouvait se voir. Mais est-ce que je le voulais ? Je ne savais pas.

Quand elle a vu que je ne lui répondais pas, elle est passée à l'offensive.

Je pense à toi. Tu me manques.

BAM ! Plaquage en bonne et due forme.

Entendus pour la première fois, ces mots que j'avais tant espérés dans le passé avaient une saveur rance. Comme un vin bouchonné.

Avant, lorsqu'elle voulait me revoir, elle utilisait son corps. Elle se lançait dans mes bras en silence. Le son de sa poitrine qui percutait la mienne. Mon cœur qui cognait à la porte du sien, qui attendait toujours une réponse. On aurait dit un bunker nucléaire. Et moi, je n'étais qu'un pétard mouillé.

Pour elle, ces retrouvailles tranquilles voulaient tout dire. Pour moi aussi d'ailleurs, mais il manquait toujours les sous-titres. La démythification de ses retours… parce que, quand il n'y a pas de sous-titres, tu peux interpréter les choses à ton goût, et c'est rarement ce que ça veut dire. RAREMENT.

Ça m'a tout pris pour l'ignorer. Je collectionnais ses messages dans mon téléphone en espérant qu'une fois l'anthologie complétée, l'ensemble aurait une signification que je ne pouvais voir à ce moment. Je pourrais ainsi décoder le message secret caché derrière des mots qu'elle n'avait jamais prononcés jusque-là. Encore des missions secrètes, tout plein.

Tous les deux ou trois jours, elle revenait à la charge. Ses mots prenaient la forme d'armes de plus en plus nocives, massives. Ça avait débuté avec une fronde, maintenant, c'était des catapultes qui me bombardaient de boulets à pics enflammés.

Je me sentais coupable d'y accorder de l'importance. Je ne savais pas si mon retrait était seulement provoqué par ~~le dégoût~~ la peur de renouer avec elle ou bien si c'était tactique.

En attendant, je rêvais à Yvonne.

Yvonne et son nom qui sentait la guimauve et le savon à la rose. Elle avait quelque chose de pétillant et de serein à la fois.

Je ne savais pas où ça allait tout ça. On ne se voyait pas assez. Elle travaillait de nuit et moi, de jour. C'était compliqué. Rien ne s'était passé en dehors de quelques baisers ~~et une palpation de mon entrejambe au cours de deux périodes de french particulièrement audacieuses~~. Malgré le fait qu'elle m'avait dit ne pas être capable d'être seule, elle n'était pas aussi accaparante que je l'aurais souhaité. Elle m'accordait peu d'espace dans sa vie, alors que moi, je lui aurais donné tout mon temps libre comme s'il s'agissait d'une portée de tigres orphelins qu'il faut nourrir au biberon. Je savais que ce n'était pas vraiment la chose à faire. Personne ne veut être responsable de ça. Ça griffe fort, ces bestioles-là.

En proie à mes incertitudes croissantes, j'ai appelé Angi pour qu'on discute. Ça n'arrivait presque jamais. Je ne savais pas ce que j'attendais de lui, mais je me disais que ça me ferait du bien d'en parler à quelqu'un, même si cette personne allait probablement me répondre par des onomatopées rauques bourrées de consonnes.

Angi... elo ?

Fallait que je me souvienne chaque fois de ne pas l'appeler par le surnom que je lui donnais dans ma tête.

Ouais...

Il me semblait que sa voix avait une octave de moins au téléphone. Il avait un timbre parfait pour la radio, sauf qu'il était avare de ses mots, comme s'il n'en avait pas assez pour penser. Il les gardait pour lui. Ou pour ma mère.

Un long silence parsemé de bruits de voitures. Il devait être dehors. J'ai tourné en rond autour de mes paroles comme un cowboy qui encercle son troupeau de vaches pour s'assurer qu'elles ne s'échappent pas. Quand j'ai senti qu'Angi s'impatientait dans l'émetteur de mon appareil, je me suis lancé.

Mian me harcèle. Je ne sais pas ce qu'elle veut, mais elle me parle comme si elle avait eu une révélation.

Hum...

J'ignorais si ce son était porteur d'une réflexion, ou si Angi me démontrait qu'il en avait assez de mes enfantillages. Tout juste avant que je perde espoir, il a dit Tu veux faire de la raquette en fin de semaine ?

J'imagine que c'était une réponse valable.

J'avais mes raquettes en babiche dans les mains, des ruisseaux de transpiration qui me parcouraient le dos, les narines collées sur la vitre de ma porte d'entrée et j'attendais Angi. Il était trop tôt pour tout, même pour le soleil.

Dehors, c'était bleu.

Il y avait des croûtes de givre sur le pourtour des fenêtres. Ça sentait l'engelure. J'aurais pu attendre mon ami dans ma cuisine en tétant mon café, mais j'en étais incapable. J'avais l'excitation qui me chatouillait les tripes, comme avant chaque sortie avec l'école. La babiche, c'était la faute d'Angi. Il ne supportait pas qu'on fasse de la raquette avec des instruments plus perfectionnés. Pour lui, s'éreinter les jambes avec un accessoire ancestral constituait le summum du plaisir. On aurait pu penser qu'il appliquait cette théorie au reste de son mode opérationnel, mais non. Seuls quelques éléments archaïques, voire anachroniques, jonchaient sa vie. Comme les raquettes en lanières d'animal mort, le rasoir à manche, et l'inexistence d'un four micro-ondes chez lui.

Il ne se passait rien depuis un long moment. J'avais l'impression d'être la seule source de vie en ce samedi matin. Sur le terrain du voisin, il y avait un bonhomme de neige à moitié fondu qui s'était recristallisé dans son dégel. Il avait l'air triste. Son nez en carotte gisait au sol. Son abdomen était jauni par l'urine des chiens du quartier.

Puis, tout est arrivé en même temps.

Mon téléphone a hoqueté.

C'était Mian qui me suppliait de la voir le jour même. Un message texte en forme de bombe bactériologique.

J'ai eu pitié, surtout que je savais qu'elle ne se levait jamais à cette heure. Elle devait être paniquée. Pendant que je cherchais quelque chose à répondre pour arrêter de me sentir aussi mal, j'ai vu une ombre apparaître sur l'écran de mon téléphone. Ça m'a pris quelques secondes avant de lever la tête vers la fenêtre de la porte d'entrée.

Il y avait Yvonne.

Sa tête se perdait dans un bonnet jaune qui laissait dépasser quelques brins de cheveux noirs figés par les moins trente qui sévissaient dehors. Ses cils battaient vite comme pour réchauffer ses yeux immenses. Elle avait des colibris qui lui volaient sur le visage. Le grain de beauté sur sa paupière apparaissait et disparaissait chaque fois. Son gros capuchon à fourrure encadrait le tout. Un lion prêt à me dévorer.

Elle a plissé le nez. Ça semblait être sa manière de s'inviter à l'intérieur. Je ne savais pas pourquoi, mais pendant un instant, mon regard a oscillé entre elle et mon téléphone. Je me demandais si elle soupçonnait quelque chose.

Tout de suite, je me suis senti comme un pauvre plouc. Si je lui supposais des soupçons, c'est que j'étais déjà coupable de quelque chose

La nostalgie. Le nœud coulant autour de mon cou. Hop !

Je l'ai fait entrer. J'étais content qu'elle soit là, mais je me sentais pris en flagrant délit. Alors j'ai agi comme n'importe quel fautif. J'ai éxécuté mon sourire le plus honnête fourbe et j'ai prié pour qu'elle ne remarque rien en encageant mon téléphone dans ma poche de manteau.

Tu pars en raquettes ?

Ouais… Angi, euh, Angelo, mon ami…

Je m'excusais déjà de ne pas être disponible, avant même de savoir ce qu'elle était venue faire chez moi à six heures cinquante-quatre du matin.

Je viens de finir une nuit chez madame Bobo.

Elle a roulé les yeux. Dans ce geste, j'ai vu tout l'amour qu'elle avait pour cette cliente incorrigible.

J'adorais la manière qu'elle avait de me parler de ses patients. Elle le faisait comme s'ils étaient les personnages d'une saga que nous suivions tous les deux alors que je n'avais aucune idée de qui était cette madame Bobo.

Je ne savais pas si elle était déçue de me voir faire des plans de week-end sans elle. J'aurais aimé le savoir.

Yvonne était un coup de vent. J'avais à peine le temps de sentir la bourrasque qu'elle était déjà partie, me laissant avec l'impression que j'avais vécu quelque chose de fort, mais d'intangible. Les effluves de son passage s'évanouissaient avant que j'aie eu le temps d'en identifier la nature.

Avant qu'elle file, qu'elle se défile, j'ai essayé de lui tirer les vers du nez en toute nonchalance.

Alors… tu voulais faire un truc aujourd'hui ?

J'étais juste venue te voir après ma nuit de travail.

Elle reniflait de toutes ses forces pour ne rien laisser passer. Elle avait vraiment l'air sincère. Je ne pouvais douter qu'elle n'avait eu aucune arrière-pensée.

Ça commençait à me rendre anxieux. Ce n'était pas bon.

Mon téléphone s'est mêlé à la conversation à nouveau. C'était ma mère.

Déjà, Yvonne esquissait un retrait vers la porte de sortie. Je sentais qu'elle avait un désir féroce de ne pas me déranger. Quelque chose clochait.

En s'évacuant à cette vitesse, elle n'a pas vu Angi qui lui aussi s'engageait dans le cadre de porte et elle a foncé sur son torse aussi dur qu'une armure de chevalier noir avec des abdominaux moulés. Son nez s'est mis à dégouliner aussitôt sur son foulard. Son sang avait une couleur parfaite. Un rouge santé. Ça donnait envie de faire des bébés avec elle, on sentait qu'ils seraient génétiquement choyés.

J'ai présenté Angi à Yvonne en ignorant mon téléphone qui criait. Tous deux semblaient penser que j'aurais dû répondre parce que ça gâchait le moment. Mais je n'ai rien fait.

Yvonne contenait les débordements de son nez à l'aide de ses mitaines. Quand j'ai fait mine de vouloir lui donner un papier mouchoir, elle m'a dit qu'elle les détestait et qu'elle était bien contente en fait de les tuer de cette manière.

J'ai vu qu'Angi la trouvait folle et sur le moment, j'ai été un peu d'accord avec lui sauf que j'étais ~~amoureux de~~ conquis par cette folie.

Le téléphone s'est tu. Yvonne dévalait déjà l'escalier. Angi me tendait des pasticciotti que sa mère avait faits. Ça sentait bon la crème d'amandes grillées. Dehors, un chien vidait sa vessie sur le cul du bonhomme de neige.

Dans la voiture de mon ami, qui était une version hivernale de sa moto, noire, dangereuse et qui sentait le cuir et la mort, on a engouffré les pâtisseries en silence. J'en mettais partout sur moi, alors que Batman avait depuis longtemps maîtrisé l'art de manger sans laisser de traces, même en conduisant. À un moment donné, il s'est allongé pour ouvrir la boîte à gants. Il en a sorti des timbres chauffants pour les mains et les pieds, me les a tendus, puis il a dit Elle est belle en esti !

J'ai souri, dérouté par l'absence de lien qu'il y avait entre ses actions et ses paroles. Mais j'étais fier. Je m'octroyais déjà la paternité de la beauté d'Yvonne comme si j'avais quelque chose à voir avec ça, alors qu'elle m'illuminait seulement un peu quand j'étais à proximité.

J'ai écrit à Mian pour lui donner rendez-vous le lendemain à notre retour de la campagne en tentant de paraître aussi froid et détaché que possible.

Dix-sept heures, demain, au Starbucks à côté de chez toi.

Elle ne pouvait pas savoir qu'entre les virgules, il y aurait des heures de répétition, un texte radoté à chaque kilomètre parcouru en raquette. Elle ignorait que ma voix intérieure trébucherait sur chaque voyelle, que mon choix horrible pour notre lieu de rencontre tentait de refléter la distance que je voulais garder avec elle. Je me disais qu'un endroit aussi ordinaire ne pouvait pas manquer de rendre insipides ces retrouvailles. Je le souhaitais de tout mon cœur. Mais mon cœur, tout en dentelle rouge vif qui ne filtrait plus rien, n'en menait pas large.

On a marché pendant des dizaines de kilomètres. J'entendais seulement ma respiration. J'aimais ça. Ça me rassurait. Celle d'Angi se perdait quelque part entre nous deux. Il avait une quinzaine de mètres d'avance sur moi. Je marchais sur ses traces en le bénissant parce que je n'aurais pas eu la force d'éclairer le chemin avec mon coccyx qui semblait ne jamais vouloir se ressouder.

L'immensité enneigée autour de nous était comme la page blanche de ma tête sur laquelle j'essayais de composer mon discours du lendemain. J'étais un très mauvais orateur. Je me souvenais de tous mes exposés oraux qui s'étaient soldés par des coulisses d'urine le long de mon pantalon en velours côtelé bleu et par un malaise général. Je ne pouvais nier que c'était ce que j'appréhendais.

Parfois, Angi s'arrêtait, il pointait quelque chose au loin. Un renard, une hermine, des traces de lièvre, le sifflement d'un oiseau que je n'entendais jamais. Il attendait que je le rejoigne pour me tendre son thermos rempli de Jägermeister. J'en prenais une lampée puis on continuait notre route. Parfois, on croisait des gens. On se saluait d'un signe de tête comme si on était tous des conquérants du cercle polaire, alors qu'à vingt kilomètres de là, il y avait un centre commercial doté de vingt salles de cinéma.

La nuit est tombée sur nous tout d'un coup, comme pour nous piéger.

On s'est arrêtés dans un refuge. Ça sentait la vieille chaussette humide et l'effort masculin. Il y avait un couple qui y séjournait avec nous. Ça paraissait qu'ils s'irritaient à être ensemble. Avec sa voix en papier de verre, la femme pépiait pour bourrer les espaces vides que semaient nos pauvres phrases. Elle avait une opinion sur tout et nous parlait de chacun des attraits qu'elle avait croisés sur le chemin comme si elle avait été la seule à faire la randonnée. Elle semblait n'avoir qu'un qualificatif à son vocabulaire.

Extraordinaire !

Plus elle le disait, plus le mot se dévalorisait. Je me suis juré que je n'utiliserais plus jamais ce terme. Il avait atteint son quota mondial depuis longtemps.

L'homme prenait son plaisir dans un sac de croustilles qu'il ne partageait avec personne et ça ne me dérangeait pas parce que c'était à la saveur Crème sure et oignon et c'était seulement les ploucs qui désiraient avoir une haleine de momie qui mangeaient ça. Il en avait plein les dents et tentait d'entrecouper les superlatifs de sa femme avec des phrases qui se commençaient avec le même Moi... suivi d'une série de mots dont l'assortiment était délicieusement pigé dans le répertoire des plus mauvaises téléréalités.

On s'est endormis au son de ronflements probablement pestilentiels et pas si lointains. Les dents d'Angi grinçaient.

Au milieu de la nuit, un bruit m'a réveillé. J'ai regardé autour de moi et il y avait un sac de couchage qui marchait dans la pièce. Il butait contre les murs comme un chaton nouveau-né qui se heurte aveuglément aux parois de la boîte de carton lui servant de pouponnière.

Angelo ?

Le sac de couchage a tendu l'oreille.

Qu'est-ce que tu fais, mec ?

Je chasse les araignées.

OK... Je ne pense pas que tu peux les voir, tu as quelque chose sur la tête.

Le sac de couchage a paru réfléchir un instant avant de s'effondrer sur le lit. Je me suis demandé si Angi pouvait respirer convenablement, le nez écrasé contre la fermeture éclair. Lorsque le grincement de dents a recommencé, j'ai été rassuré. Je suis retourné à mes rêves truffés de situations pénibles qui incluaient Mian et des fuites d'urine.

Le lendemain, je n'ai pas senti le besoin de revenir sur les événements de la nuit avec mon ami. Il m'a fait un sandwich-déjeuner digne d'un conquérant du cercle polaire et on s'est éclipsés avant que le couple se réveille. Le Jägermeister a été remplacé par du café soluble. Le parcours m'a paru plus limpide.

À mi-chemin, Angi m'a dit Alexi, si jamais tu vois que moi et ma femme, on devient comme ce couple, tu me le dis, hein ?

Il semblait avoir pétri ses mots au cours des trois dernières heures.

J'ai failli lui répondre qu'il n'avait pas de femme, qu'il n'en avait jamais eu, mais j'ai pensé que ce serait peut-être blessant. À la place, je lui ai demandé si ça ne lui manquait pas.

Il a fait semblant de ne rien entendre, mais j'ai senti que ses raquettes s'activaient fort sur la neige. Ça me faisait penser à la manière qu'avait ma mère de piler les pommes de terre.

Fougue, acharnement, foi.

Ça avait l'air d'un exorcisme.

On n'a plus échangé aucune parole.

La balade en voiture a ressemblé à la finale du Grand Prix de formule 1. Au moment où Angi m'a déposé devant chez moi, je l'ai invité à prendre un autre café, même si le thermos avait été vidé et qu'aucun de nous deux n'avait particulièrement envie de remettre ça. Ce n'était pas une question de caféine. C'était mon rendez-vous avec Mian qui me titillait la luette.

Non, mec, je vais souper chez ma mère. Elle me fait la recette de boulettes à la viande de madame Butschi.

C'était un coup bas. Pendant notre adolescence, il m'avait toujours invité quand cet événement radieux se produisait. Il se vengeait de mon indiscrétion plus tôt. Je me suis posé de sérieuses questions à propos de notre amitié.

Pour mon rendez-vous avec Mian, j'aurais dû faire une entrée glorieuse avec quelques minutes de retard. À la place, il était quatre heures et quart moins quart et j'avais devant moi un chocolat chaud surmonté du mont Everest en crème chantilly.

J'attendais comme j'avais toujours attendu.

J'attendais que mon passé parvienne enfin à rattraper mon présent.

J'avais choisi une banquette. Ça me semblait plus confortable et sécuritaire qu'une chaise en bois. Le confort pour le coccyx, et la sécurité parce que j'avais peur de tomber en bas de ma chaise quand Mian allait arriver.

J'ai essayé de lire, mais le bouquin tremblait entre mes mains et ça me déconcentrait.

Je m'étais lavé à mon retour de l'expédition. Les effluves de neige, de babiche et de chaussettes mouillées, ce n'est séduisant que dans les films. Je voulais être propre pour cesser officiellement tout contact avec Mian. Il me semblait que ça ferait un meilleur scénario. Moi, viril, dégageant une subtile odeur d'assurance, les cheveux ébouriffés par mon bonnet, les joues rougies par l'effort de la journée. James Bond, en mieux.

J'avais déjà de gros cernes de sueur qui teintaient le tissu de ma chemise. Mon visage devait être livide parce que j'avais un peu mal au cœur. Le mont Everest intouché fondait devant moi et se transformait en mare aux canards. Des volutes huileuses se dessinaient à la surface du liquide brun trop sucré qui n'avait probablement rien à voir avec le chocolat promis.

Je me doutais bien que je n'exhalais pas l'assurance souhaitée.

Pendant mon attente, Yvonne m'a appelé. Je lui ai dit Je règle des choses. Elle avait l'air déçue. Je lui ai promis de la rappeler dès que possible.

Mian est arrivée à l'heure pile. Je le savais parce que l'alarme que j'avais programmée sur mon téléphone afin de me rappeler à l'ordre au cas où j'aurais été happé par ma lecture a sonné au moment même où elle a franchi la porte du café.

Elle avait l'air nerveuse. J'ai eu l'impression qu'elle m'avait repéré, l'alarme de mon téléphone m'avait peut-être trahi. Mian faisait semblant que non.

Elle a fait glisser son capuchon avec une lenteur affectée. Une nouvelle coupe de cheveux, le genre de transformation que tu fais quand tu veux changer de vie.

Avant, sa chevelure avait la couleur d'une châtaigne et s'arrêtait à angle droit au niveau de sa chute de reins. Ses mèches étaient maintenant courtes, noires et texturisées. La Mian que je connaissais s'était mutée en une femme qui ressemblait un peu trop à Yvonne. Ça m'a paru de mauvais augure. Comme le noir corbeau de ses cheveux...

Elle avait des ombres sous les yeux. Un visage plus anguleux que dans mon souvenir. Ça me troublait parce que s'il y avait quelque chose de rigoureux dans ma vie, c'était bien ma capacité à me rappeler ce genre de détails avec exactitude.

Elle avait changé.

Elle s'est approchée de ma table en serrant la courroie de son sac à main. Elle s'est assise sans m'embrasser. Je ne savais pas qui de nous deux bluffait le plus.

Le texte que j'étais censé réciter s'est évanoui comme une fillette dans ma tête. Avec la main sur le front et un petit couinement de chochotte. J'étais seul en face de la mare aux canards refroidie.

Merci d'avoir accepté de me voir, Alexi.

Ouais…

Tu as l'air bien.

J'ai voulu lui dire la même chose, mais je ne voulais pas mentir. Elle le faisait bien mieux que moi.

J'ai l'impression que les rôles sont un peu inversés, non ?

Devant mon visage pétrifié, elle n'a eu d'autre choix que de continuer à parler.

Je vois quelqu'un… je veux dire, un psychologue. Ça m'aide à comprendre ce que je veux.

Ses yeux, qui évitaient de se poser depuis son arrivée, se sont arrimés aux miens. Elle m'a souri. J'ai eu l'impression d'être ce qu'elle voulait. Elle le savait maintenant. Elle a sorti l'artillerie lourde.

Est-ce qu'il y a encore une place pour moi dans ta vie ? Voudrais-tu m'accorder une chance ?

C'était beaucoup trop de questions à la fois.

Ma tête s'apprêtait à disjoncter. Un système d'urgence se mettait en place. Des paroles sont sorties de ma bouche sans que je sois vraiment concerné par leur passage de mon cerveau jusqu'à mes lèvres.

Je ne peux pas.

Puis j'ai calé mon chocolat chaud froid pour ne pas le gaspiller et je suis sorti en me léchant les babines et en me trouvant plus ou moins viril.

Je l'ai abandonnée comme elle l'avait fait si souvent.

Je me suis senti comme une merde pendant quelques minutes, mais quand j'ai réalisé que j'avais pris une décision, ou quelque chose qui s'en approchait, j'ai eu envie de fêter ça.

Alors j'ai appelé Yvonne.

Elle m'a invité à aller prendre un chocolat chaud dans un établissement qui venait d'ouvrir. J'ai sauté sur l'occasion comme si ça faisait des lustres que j'avais cédé à la tentation d'une bonne boisson réconfortante.

C'est un peu ce que ça fait, les commencements de l'amour.

Tu fais semblant que c'est la première fois pour tout.

Il y avait neuf tasses de chocolat chaud de différentes essences devant nous. Yvonne avait insisté pour qu'on fasse une étude poussée de tous les parfums de cacao proposés dans cet établissement.

Devant notre butin, elle a sorti un petit calepin dans lequel elle a dessiné un tableau où elle compilerait les données. C'était sérieux.

Elle utilisait des mots que je ne connaissais même pas, ou auxquels je n'aurais jamais pensé quand il s'agissait de décrire mes sensations gustatives. C'était intéressant, mais il était évident que toute cette mise en scène cachait quelque chose. Je connaissais ce genre de procédé de déconcentration.

Ça, c'est quand tu focalises tes énergies sur une activité quelconque, par exemple la dégustation d'une dizaine de chocolats chauds, pour ne pas penser à ce que tu devrais vraiment faire. Et ce qu'elle aurait dû faire, tu le découvriras plus tard, en même temps que moi, dans la chronologie de l'histoire.

J'avais envie de parler de Mian avec Yvonne. De la décision que je venais de prendre. J'ai tâté le terrain de façon peu subtile.

Je suis désolé pour tantôt…

Elle a levé la tête. Je ne savais pas si elle ne se sentait réellement pas concernée ou si elle avait des dons surnaturels d'actrice, mais les points d'interrogation qui s'affichaient partout sur son visage m'ont fait penser que la première option était la bonne.

Un de ses sourcils s'est arc-bouté, le droit. C'était le genre de mimique qui était difficile à exécuter. Pendant un instant, j'ai testé ma théorie. Je me suis rendu compte qu'aucun de mes deux sourcils ne coopérait. J'ai insisté sur mon sujet de conversation.

J'ai réglé des choses…

Encore une fois, elle me signifiait son incompréhension la plus totale. Elle écrivait ses impressions sur le chocolat chaud blanc au safran et j'ai senti une légère irritation dans sa calligraphie.

Écoute, Alexi, si ça a quelque chose à voir avec ton passé, je ne veux rien savoir. Tu fais ce que tu as à faire, mais ne me mêle pas à ta nostalgie. Surtout si elle est en lien avec une autre personne.

Son ton était ferme. Elle a exhumé une guimauve grillée du lot de chocolats chauds et l'a garée à l'intérieur de sa joue qui s'est arrondie pendant qu'elle la laissait fondre. J'ai eu envie de l'embrasser là, sur la tendre colline que formait la guimauve sous sa peau parfaite.

Tu travailles demain ?

Oui.

OK, je vais venir te voir sur l'heure du dîner.

Ça voulait dire qu'elle passait la nuit chez un de ses patients.

J'aimais la chasteté de nos activités, mais je me demandais si elle aurait une fin. Je commençais à penser qu'on n'avait pas le même genre de relation en tête. Avec sa manière de me faire patienter, Yvonne installait un futur incertain alors que je me prélassais dans le passé. On n'était pas dans les mêmes fuseaux horaires.

Quand la grille d'évaluation des boissons a été complétée, elle s'est levée et m'a donné un baiser ~~rapide~~ express sur les lèvres. J'ai quand même eu le temps de m'apercevoir que les siennes goûtaient Noël.

Une infusion de caramel, de menthe et de chocolat. J'ai presque entendu les grelots qui guelinguaient.

Elle s'est sauvée en regardant l'heure sur son téléphone.

J'ai regardé l'heure défiler sur mon cadran numérique pendant presque toute la nuit. Je n'arrivais pas à dormir. Je soupçonnais la surdose de caféine, de sucre et d'émotions. Ça n'avait l'air de rien, mais c'était un cocktail fatal.

Le matin suivant, j'avais à peine ouvert les yeux que je me savais déjà déplaisant. J'avais envie de grogner juste pour emmerder ma vie et celle des autres.

Le rideau de douche m'a collé dessus pendant tout le temps de ma toilette, j'avais le Vésuve en éruption sur le menton, mes céréales ne goûtaient pas la même chose que d'habitude. Ce n'est qu'en avalant un grumeau visqueux que je me suis rendu compte que mon lait était caillé et qu'il avait décidé de produire son propre fromage.

Dehors, il pleuvait. Le genre de pluie glacée qui parvient à s'infiltrer partout, même dans la tête. J'avais le drame estampillé sur le visage. Il se contorsionnait pour bien refléter le brouillard glissant entre les pierres tombales qui me servaient d'yeux. Mon corps se crispait pour tenter d'éviter les gouttelettes d'eau. Comme si c'était possible. J'étais cerné de toute manière.

J'ai décidé de prendre le métro et ça s'est rapidement avéré être une mauvaise idée, car j'ai mariné dans mon jus de pluie trente minutes avant que la rame se pointe, temps au cours duquel une voix n'arrêtait pas de nous informer qu'une personne sur la voie causait un ralentissement de service, et moi, je criais dans ma tête ENLEVEZ-LÀ DE LA VOIE, BORDEL !

Juste un peu avant midi, tous nos ordinateurs sont morts d'un coup. Le fichier sur lequel je travaillais depuis quatre heures s'est volatilisé en même temps que les dernières traces de ma patience. Le point positif de tout ça, c'était qu'un technicien viendrait travailler pour rétablir le court-circuit du système et qu'on aurait quelques minutes de plus pour manger. Quelques minutes de plus avec Yvonne.

Depuis le hall de l'immeuble, je l'ai vue arriver sous un parapluie si coquet qu'il réussissait à illuminer une bonne partie de la rue obscurcie par les ténèbres du ciel.

Elle portait des bottes de pluie à pois qui lui montaient au-dessus des genoux et déployait un sourire à l'épreuve d'un tsunami. La mauvaise ambiance générale n'atteignait pas Yvonne, ou se faisait-elle un plaisir de nager à contre-courant ?

Juste avant de pénétrer dans l'immeuble, elle s'est arrêtée brusquement, s'est penchée au-dessus de ses bottes, a observé le bitume pendant quelques secondes, puis elle y a cueilli une pièce d'un cent qu'elle a empochée en souriant encore plus fort qu'auparavant. Je ne savais pas comment c'était possible.

Sur les dalles du plancher, les bottes d'Yvonne ont couiné. Les gens se sont retournés sur son passage. Ils étaient amusés par cette entrée digne d'une comédie romantique. Elle distribuait des sourires à tout le monde parce qu'elle savait qu'elle en aurait en surplus durant toute sa vie.

Quand elle a vu que je l'attendais sagement près de la plante artificielle, le menton bien campé derrière le barrage de mon foulard pour qu'elle n'aperçoive pas le bouton qui y bivouaquait, elle a commencé à courir vers moi comme la femme d'un soldat qui revient des tranchées et ça m'a plu. Tout le monde nous regardait, on avait l'air d'un couple heureux.

Ses mains se sont promenées partout sur moi. Elles n'arrivaient pas à décider quelle partie de mon corps méritait le plus leur attention. Yvonne ricanait et moi aussi.

C'était le genre de moment où tu te rends compte que le bonheur qui t'est destiné est juste là, il cogne à la porte de ta vie et tu n'as qu'à le laisser entrer pour ne plus jamais souffrir, ou pour souffrir avec la certitude qu'il reviendra.

Alors j'ai serré Yvonne dans mes bras comme si elle m'appartenait.

C'est là que je me suis rendu compte que le bonheur s'était peut-être gouré d'adresse, le con.

Avec la candeur de la première fleur du printemps, Yvonne s'est dégagée de ma poitrine et m'a dit Tu vas ~~beaucoup~~ me manquer.

Je savais que je n'avais pas réussi à cacher mon sentiment de terreur, car elle m'a regardé avec le genre d'air qui te fait regretter de ne pas être un caïd au sang froid. Elle avait un peu pitié de moi ou peut-être que je m'imaginais des choses. J'aurais aimé être le mâle alpha, celui qui se dit que des Yvonne, il y en a des millions sur la terre et que de la perdre, ça signifie seulement que la saison de la chasse n'est pas terminée. Des biches partout, partout.

À la place, j'ai senti que j'allais peut-être pleurer.

Mais avant, je voulais en savoir plus sur cette histoire de manque.

Euh, je ne comprends pas, tu ne veux plus qu'on se voie ?

Oui, bien sûr, mais je pars pour cinq mois, je ne te l'avais pas dit ?

Juste pour la forme, j'ai fait mine de fouiller dans les moindres recoins de ma mémoire pour dénicher quelque chose qui avait à voir avec ce qu'elle aurait dû me dire, mais j'étais persuadé que je ne trouverais rien de tel parce qu'il était évident qu'elle ne l'avait pas fait, et elle le savait pertinemment. À la place, la veille, on avait rempli un putain de tableau comparatif des divers parfums de cacao.

Pourtant, elle avait l'air aussi innocent qu'un poussin de Pâques avec un ruban lavande autour du cou. Pit pit pit pit pit !

Tu vas où ?

Dans ma voix, il y avait tout ce qu'il n'y aurait pas dû avoir : des accusations, de la colère, un sentiment de trahison extrême, l'into-nation d'une femme qui te soupçonne de la tromper, le tremble-ment distinct qui précède les larmes.

Je vais travailler dans un hôtel comme G.O. Une amie m'a trouvé une place. Une de ses collègues a contracté un genre de virus.

Mais où ?

À Kemer, en Turquie.

Et tes patients ?

Ce que je voulais vraiment dire, c'était : et moi ? C'était un peu la même chose.

Elle a compris la nuance.

Alexi, faut pas réagir comme ça. On va s'écrire et puis ça va aller.

J'ai fait comme si elle venait de me convaincre. C'était comme refouler une envie pressante de vomir. Ça n'allait pas du tout. Je savais que ça sortirait plus tard et que ce ne serait pas beau. Le vomi ravalé et réexpédié, c'est pire que le vomi de première *batch*.

Je l'ai prise par la main pour la guider jusqu'au restaurant de sushis de l'autre côté de la rue. J'ai été tenté de ne jamais la lâcher.

Pendant une heure, j'ai souri comme un débile. J'avais l'impression que si j'arrêtais de le faire, quelque chose allait mourir, quelque part. Il y aurait des conséquences auxquelles je ne pourrais faire face.

J'ai bourré mes joues de makis trop gros pour ma bouche. Ça me prenait du temps pour les mâcher et les avaler. Je me suis dit que c'était bien parce qu'autrement, j'aurais peut-être supplié Yvonne de renoncer à ses plans. Je sentais qu'avec le furoncle qui nidifiait sur mon menton et qui se préparait une portée de rejetons, je n'étais pas en mesure d'obtenir quoi que ce soit.

Je l'écoutais me parler de son futur en feignant d'être aussi excité qu'elle, mais déjà, je me demandais quand étaient mes prochaines vacances et j'échafaudais un discours qui ferait bien paraître le fait que j'allais m'inviter à les passer dans l'hôtel où elle travaillerait à partir du lendemain.

J'aurais voulu que l'heure de la pause soit déjà finie, ou qu'elle n'ait jamais commencé.

J'ai payé la facture pour rehausser mon grade d'homme et Yvonne m'a planté un baiser sur les lèvres. Je savais que rien n'y pousserait sauf le désespoir de ne plus la voir pendant si longtemps. J'aurais aimé que notre étreinte dure longtemps, mais en même temps, je me serais senti déchiré au moment où ses lèvres auraient quitté les miennes, alors c'était mieux comme ça.

Un long baiser, ça tisse des liens qui sont difficiles à rompre par la suite.

Elle le savait.

Elle ne voulait ~~sûrement~~ pas ça.

Je l'ai regardée s'éloigner. Elle zigzaguait entre les passants aux teintes grises. C'était comme ces images en noir et blanc où figurent certains éléments de couleur. Son parapluie, ses bottes et son sourire au moment où elle s'est retournée une dernière fois vers moi et qu'elle m'a dit Tu as des algues entre les dents.

Après, la foule grisâtre l'a engouffrée.

Dans tous les autres contextes, cette image dichotomique aurait semblé kitsch, mais là, c'était seulement la vérité. Yvonne brillait déjà au travers du filtre de ma nostalgie.

Tout le reste était devenu noir.

Quelques minutes plus tard, j'étais devant mon ordinateur. Mon fichier n'avait toujours pas refait surface et j'entendais la pluie qui martelait les vitres de notre bureau. J'étais dans la même situation, je repassais sur les mêmes traits invisibles de mon dessin technique perdu. J'avais l'impression d'attendre encore Yvonne comme ce matin, sauf que ce serait trop long. Mon envie de râler était toujours là, elle se cherchait des victimes, humaines ou non.

Dehors, les restes de neige fondaient à vue d'œil. Des marées de *slush* dévalaient les rues. C'était brun. Merde.

Lorsque je suis allé au cabinet de toilette, le distributeur de papier hygiénique n'avait toujours pas été réparé et devant cet élément qui avait jonché les débuts de l'histoire avec Yvonne, je me suis mis à brailler. Le pire était que j'avais su d'avance que ce serait le cas. Je me souvenais de ce jour où je m'étais dit que le rouleau de papier cul serait un déclencheur. C'était un type de mélancolie anticipée. J'étais pathétique.

Quand j'ai finalement réussi à terminer mon dessin, je me suis récompensé en me donnant le droit de visiter le site Web du Club Med. Je n'avais toujours pas racheté d'ordinateur et l'idée de retourner dans un café Internet me faisait frissonner. Je devais donc utiliser les outils à ma disposition, même si ça signifiait enfreindre quelques règles éthiques.

La couleur du site m'a donné mal au cœur. Une teinte turquoise qui reflétait les mers du Sud, l'antithèse de ma journée brune. Ça détonnait trop.

L'hôtel où travaillerait Yvonne était un village réservé aux adultes.

Je me doutais bien que le défaut dont elle m'avait parlé, son incapacité à être seule, ne me ferait vraiment mal que lorsqu'elle ne serait plus avec moi. J'aurais aimé qu'on définisse un peu plus notre statut avant qu'elle se sauve au pays des célibataires rapaces, mais ça n'avait pas eu l'air d'être une de ses priorités.

Quand j'ai quitté le bureau ce soir-là, les muscles de mes mâchoires me faisaient mal à force d'avoir broyé du noir entre mes dents.

Au moment où je suis rentré chez moi, aussi visqueux qu'un ver de terre à cause de la pluie, je me suis rendu compte que j'avais trois appels manqués sur mon téléphone portable. Ma mère.

Je n'avais aucune pas vraiment envie de la rappeler. Sa voix frêle me ferait pleurer, j'en étais certain.

Mais la cinquième fois que mon cellulaire a retenti au cours de la soirée et que le nom de ma mère continuait de s'y afficher comme si c'était la seule personne que je connaissais, je me suis dit qu'il y avait peut-être quelque chose de grave et j'ai répondu.

Elle avait une voix différente. Elle m'a même un peu réprimandé pour ne pas l'avoir contactée depuis son appel le matin de mon escapade en raquettes avec Angi.

Au début, elle m'a demandé des nouvelles de moi, mais je sentais bien qu'elle n'en avait rien à cirer. Elle babillait avec excitation et ce n'est qu'au moment où elle a parlé d'Adrien que j'ai finalement compris la raison de son agitation.

Il venait de remporter plusieurs millions au loto du vendredi précédent.

En entendant ça, je me suis rappelé toutes les fois où mon frère, dans sa jeunesse, avait perdu son argent de poche en achetant des billets de loterie instantanée, en jouant aux arcades, en refusant la défaite devant les peluches géantes de la foire.

Une fois, il avait réussi à gagner un énorme éléphant rose auquel personne ne pouvait toucher. Ce trophée trônait sur son lit, hideux, rigide, et il produisait un bruit qui faisait grincer les dents quand on le palpait. Sa couleur ne pouvait manquer de me donner la nausée quand je l'apercevais, ce qui signifiait tout le temps. Il était impossible à ignorer parce qu'il était plus gros que mon frère, qui s'entêtait à dormir avec lui toutes les nuits. C'est à ce moment-là que je me suis dit que la folie pouvait prendre la forme d'une peluche rose gigantesque qu'on serre dans ses bras en ayant peur de se la faire piquer.

Je me suis demandé quel genre de personne Adrien deviendrait maintenant qu'il avait gagné un éléphant encore plus volumineux aux couleurs du paradis artificiel.

En me réveillant le lendemain matin, j'ai fait les comptes de ma vie.

Je n'avais presque plus rien, seulement de la petite monnaie.

Bon, j'avais la santé et une situation stable au travail, mais ça s'apparentait davantage à des billets de mille dollars que tu ne veux pas casser ou que tu soupçonnes d'être factices.

Puis, pour la santé, j'avais encore le coccyx en mauvaise condition. Yvonne m'avait confectionné un coussin en forme de beignet glacé au miel que je traînais partout ~~comme une doudou~~. Je faisais rire de moi, mais ce n'est pas le genre de chose à laquelle tu t'attardes quand celle qui t'a donné ce cadeau est susceptible d'être déjà en train de partager ses talents d'artisanat avec un autre homme.

Je me sentais vraiment fourré de tous les bords.

Mon meilleur ami ne répondait pas à mes appels et ma mère avait redoublé d'ardeur pour qu'une réconciliation filiale ait lieu, comme si la manne qui était tombée sur Adrien était synonyme d'une illumination qui se répercuterait aussi sur nos esprits. Tout à coup, on retrouverait l'inspiration qui nous avait manqué pour enclencher une cessation de la guerre froide.

L'argent donnait à ma mère des rêves qu'elle ne pourrait jamais acheter.

Car Adrien avait partagé une partie de ses quarante et un millions avec elle, ce qui m'avait surpris.

Un million. Pour faire un chiffre rond.

C'était plutôt généreux de sa part quand on considère son historique en matière de partage.

Il avait toujours été l'enfant sur lequel les valeurs de base ne semblaient pas coller. Plusieurs épisodes me revenaient en tête, en particulier un certain jour de la réception des bulletins scolaires de fin d'année. Nous avions douze ans.

Une amie de la famille était présente à la maison au moment où nous avions fait lire nos notes à maman. Normalement, nous avions droit à un dollar pour chaque note au-dessus de quatre-vingt-dix pour cent et cinquante cents pour les notes comprises entre soixante-dix et quatre-vingts pour cent. Adrien avait toujours été un peu meilleur que moi dans les matières de base, alors que je le surpassais en arts et en écologie. Cette fois, son bulletin était un désastre général, une déclaration de revenus jamais terminée, un chantier de construction laissé à l'abandon. Je ne savais pas ce qui s'était passé, mais les chiffres voletaient à peine plus haut que la note de passage. Selon la charte des récompenses, il méritait cinquante cents pour sa note en science religieuse. Pour ma part, j'avais déjà fait le calcul, maman me donnerait cinq dollars et cinquante cents. C'était un moment glorieux.

C'était un peu comique parce que l'amie de la famille s'appelait Gloria et je trouvais que ça sonnait parfaitement bien avec l'ambiance du jour. Elle avait voulu participer à l'attribution des récompenses.

Juste une chose au sujet de Gloria. Elle ressemblait à un oisillon à peine pourvu d'un mince duvet qui, venant de faire le plus grand effort de sa vie pour sortir de sa coquille, titube dans son nid en attendant la première becquée de sa mère. Lorsqu'elle parlait, elle émettait des gazouillis si aigus que seul un chien parvenait à les entendre tous. On avait envie de la serrer dans nos bras tellement elle était touchante, mais ce n'était pas la chose à faire parce qu'elle souffrait d'ostéoporose et qu'on l'aurait brisée sur le champ avec nos doigts d'adolescents malhabiles. Cric crac croc!

Ma mère l'avait rencontrée sur un banc de parc plusieurs années auparavant et elle l'avait adoptée dans la famille. Gloria vivait dans un établissement que ma maman payait avec son maigre salaire. Je n'avais aucune idée de l'endroit où elle habitait avant de rencontrer ma mère et je préférais ne pas trop y penser.

Adrien la détestait comme il détestait toutes les petites choses fragiles et je l'avais déjà entendu dire que si maman n'aidait pas Gloria, nous aurions plus d'argent pour ses jeux vidéo.

Elle n'avait pas toute sa tête, mais elle avait un arc-en-ciel et des licornes à la place, alors ça m'allait.

À l'idée de recevoir de l'argent de sa part, je me sentais mal parce que je savais que sa maigre pension n'était pas suffisante pour qu'elle se paie des douceurs. Mais j'avais douze ans et à cet âge, on a des faiblesses occasionnelles.

Gloria avait fait les choses d'une manière cérémonieuse. Elle était allée se cacher dans la chambre de ma mère et était ressortie avec deux enveloppes où notre nom apparaissait. Elle les avait un peu estropiés, mais ça rendait la chose encore plus adorable.

Adrien avait voulu vérifier le contenu de l'enveloppe aussitôt qu'il l'avait reçue, mais ma mère lui avait envoyé un coup de coude dans les côtes pour qu'il se retienne. Il avait soupiré comme si c'était une demande débile irrationnelle.

Le sourire de Gloria, un peu brun, reflétait une sincérité dépassant tout ce que j'avais pu voir jusqu'à présent. Ça m'avait fait pleurer. Je l'avais serrée dans mes bras sans la toucher pour ne pas l'abîmer, mais elle avait compris l'intention. Adrien était déjà dans la salle de bain pour compiler son argent. Il allait probablement le fourrer, comme le reste de ses possessions, dans le cul de l'éléphant rose qui s'était décousu au niveau de la queue.

Plus tard dans la soirée, il était venu me voir. Dans sa main, il y avait un éventail de billets de vingt dollars avec lequel il se ventilait le toupet.

De Gloria, j'avais reçu un deux dollars en papier, un des derniers en circulation, car les pièces de monnaie venaient de faire leur apparition. J'étais bien content de ce cadeau parce que ça avait plus de valeur que l'argent, c'était les vestiges de quelque chose qui disparaîtrait bientôt.

En assistant à la scène, ma mère avait voulu qu'il rende l'argent à Gloria, car manifestement, elle s'était trompée. Adrien avait refusé en prétextant que cétait impoli de refuser un cadeau. La politesse était pour lui un concept inconnu jusqu'alors. Il maniait cette nouvelle arme comme un enfant-soldat avec une kalachnikov, en ne connaissant pas toute sa portée. Je lui en ai toujours voulu, car Gloria est morte quelques semaines plus tard. Mon frère avait abusé d'un oisillon sans défense.

Il avait également perdu de la valeur aux yeux de ma mère.

Maintenant, il essayait de la racheter. Et ça avait l'air de fonctionner...

Dans les semaines suivantes, j'ai tout d'abord essayé de faire comme si ces calamités ne m'atteignaient pas. Ça a duré environ une ~~journée~~ demi-journée.

Ensuite, j'ai commencé à rédiger des courriels dans ma tête. C'était plutôt romanesque, c'était intelligent et ça avait de la classe. J'étais le James Bond de la littérature électronique.

Mais quand je m'installais devant mon nouvel ordinateur acheté avec l'argent d'Adrien qui faisait des détours jusqu'à moi, des dollars que ma mère m'avait remis en chuchotant qu'elle en avait trop pour ne pas les distribuer comme des bonbons d'Halloween, les bons, pas des tires à la mélasse qui te soudent les molaires ensemble, il n'y avait que des choses comme ça qui sortaient :

Salut Yvonne,

What's up ?

En tout cas, donne-moi des nouvelles si tu as le temps.

Alexi.

C'était rendu ma principale activité, celle de composer des textes de merde qui ne trouvaient jamais leur chemin vers la Turquie. Comme des voyageurs sans Google Map.

Je m'empêchais de lui envoyer mes créations les plus délicieuses parce que je n'endossais pas ce qu'elles sous-entendaient, à savoir qu'Yvonne me manquait assez pour que j'aie la force d'écrire de longs paragraphes bourrés d'allusions à nous deux, d'illusions sur nous deux. Les plus téméraires incluaient des passages pleins d'humour dans lesquels je m'invitais à la rejoindre dans son paradis pour que ce décor devienne la colle, le ciment de notre relation. Il est connu que c'est un environnement propice à la consolidation d'un amour naissant. Ça, ou bien le bain que je n'avais jamais pris avec Mian, c'était du même calibre.

Je m'empêchais aussi de lui envoyer des courriels détachés, avares de mots, parce que si je lui parachutais quelque chose d'aussi insipide, il y avait de fortes chances pour qu'elle précipite un peu les étapes avec ses possibles soupirants. Je voyais bien qu'il y avait un genre de paradoxe.

Alors j'attendais qu'elle fasse les premiers pas.

Dehors, le printemps s'annonçait partout. On était à peine au milieu du mois de mars, mais déjà, on prenait d'assaut les terrasses en faisant semblant de ne pas grelotter de froid.

Lorsqu'un rayon de soleil parvenait à me faire plisser un peu les yeux, je mettais des lunettes fumées comme si c'était trop brillant, alors qu'en fait, j'avais juste envie que l'hiver dure encore un peu. Ça me rappelait Yvonne, et Mian aussi.

Cet après-midi-là, j'avais Angi avec moi. Il avait fini par me pardonner d'avoir forcé la porte de son intimité avec ma subtilité de témoin de Jéhovah. J'étais content qu'il ait accepté ma proposition. Au téléphone, je n'avais pas mentionné l'histoire des boulettes de viande de madame Butschi.

Il était à peine midi quand on a commencé à s'envoyer dans la gorge des pichets entiers de sangria qui nous gelait l'intérieur. Je dis pichets au pluriel parce que nous en avions chacun un. On buvait à même l'embouchure, sans verre, en filtrant de nos lèvres les morceaux de fruits imbibés de vin. On lorgnait les jambes des filles qui passaient par là. De notre poste d'observation, on percevait même la chair de poule qui texturisait leurs membres. On aurait dit que tout le monde feignait de ne pas avoir froid. Ça sentait les phéromones et les feuilles mortes qui dégèlent tranquillement. Tout le monde avait le mot « espoir » tapissé sur le visage.

Angi et moi, on était des loques miséreuses et déjà soûles alors que certaines personnes déjeunaient encore.

Je ne savais pas ce qui motivait Angi à me suivre dans ma déchéance, mais le passé récent m'avait démontré qu'il était sage de ne pas trop poser de questions à ce sujet, et j'étais heureux de pouvoir compter sur lui. On passerait une journée dans la confusion doucereuse d'un taux d'alcoolémie au-delà des limites acceptables en société et nous éviterions les questions existentielles en slalomant autour comme si c'était des cônes orange dans un circuit fermé.

En suçant une cerise qui ressemblait davantage à un morceau de pâte à modeler qu'à un fruit, Angi m'a proposé un plan digne des deux champions que nous étions devenus à force de nier les conséquences d'une beuverie ayant commencé alors que le soleil était au zénith. Notre plan consistait à nous adonner à notre sport préféré lorsque nous étions soûls : le jugement olympique d'individus.

C'était simple, on déambulait comme deux ploucs dans les rues, au hasard. Dès qu'on croisait quelqu'un qui nous semblait digne d'intérêt, on le jugeait, tout simplement. Celui qui impressionnait le plus l'autre avec son analyse gagnait un point qui s'additionnait à tous les autres obtenus dans le passé. C'était une compétition sur l'échelle d'une vie. Si tu te dis que c'est une activité odieuse, je te l'accorde. Mais on le faisait seulement lorsque notre état d'ébriété avancée ne permettait aucune autre activité, et on avait deux règles :

1 – Ne jamais juger les personnes âgées de plus de soixante ans.

2 – Ne jamais juger les enfants de moins de dix ans.

Ça nous permettait de rester dans le domaine de la moralité la plupart du temps, même si on n'était pas spécialement des modèles de vertu dans ces moments-là.

Malgré son ivresse évidente, Angi circulait avec aplomb entre les passants alors que je me faisais plaquer toutes les deux secondes. J'avais de la difficulté à suivre sa cadence. Mon corps faisait des détours non prévus dans les bancs de neige devenus noirs. Angi revenait vers moi, me relevait de ma position compromettante et chassait un ou deux mégots de cigarette de mes flancs. Au début, il riait, mais quand il a vu que ça se reproduisait souvent, il a commencé à soupirer. J'avais le cul plein de slush, ~~de crottes de chien décomposées et devenues granuleuses~~ et de gommes à mâcher.

On a croisé un parc où fourmillaient pas mal d'humains, des créatures joyeuses qui profitaient d'un des premiers samedis du printemps. Angi s'est mis en ligne et m'a entraîné avec lui. Je ne savais pas trop quel genre de queue on faisait, mais c'était festif, il y avait des notes de violons qui me faisaient danser sur place et déjà, j'oubliais que j'avais mal au cœur.

J'ai reçu un bâtonnet en bois dans la main et on m'a placé devant une mangeoire pleine de neige en train de fondre sur laquelle un type surmonté d'un chapeau de poil coulait de la tire d'érable. Ce n'était pas prévu au programme, mais tu ne passes pas à côté d'une occasion comme celle-là sans la saisir à deux mains. Ce que j'ai fait en me procurant un deuxième bâtonnet.

Il y avait beaucoup d'enfants, beaucoup de sucre cristallisé sur des manteaux multicolores, des bouches collantes, des petites mains qui me piquaient les flaques de tire les plus attrayantes. Au début, je leur faisais des ~~faux~~ sourires, mais après quelque temps, ça m'a soûlé. Alors je plantais mes bâtonnets dans la tire avant même que Tête Poilue finisse de l'étendre sur la neige. Ça avait l'air d'être un blasphème pour les autres, mais je n'en avais rien à branler. Je n'allais pas me faire avoir par une bande d'enfants rendus bioniques à cause d'un trop-plein de sucre.

Je ne savais pas comment Angi réussissait tout ce qu'il entreprenait, mais il avait une protubérance grosse comme une boule de quille au bout de son bâtonnet. Il était adossé à un arbre, un rayon de soleil bien placé illuminait son visage comme s'il était la vedette de cette sucrerie mobile et il dégustait son butin doré avec une élégance souveraine.

Tête Poilue a été notre première victime. Angi a gagné un point pour son analyse grinçante. Il m'a fait remarquer que le type avait un *camel toe* légendaire à cause de son jeans qui aurait pu aller à une fillette de dix ans.

Angi m'a arraché de mon poste de pillage pour me guider en direction du quartier italien où nous nous sommes envoyé deux espressos derrière la cravate afin de nous dégriser un peu. J'ai à peine eu le temps d'avaler ma dernière gorgée qu'on était de retour dans la rue.

On a poussé la porte d'un établissement. Angi a procédé à quelques poignées de main, des signes de reconnaissance et de cordialité entre gens d'un même clan, et nous nous sommes assis à une table en face d'une danseuse dans la trentaine qui faisait swinguer ses seins dans des directions opposées. On était arrivés au bon moment.

Il n'y avait que cinq autres clients dans le bar et personne ne semblait s'intéresser au spectacle. J'ai eu un peu pitié pour la fille parce que ça paraissait qu'elle se forçait pour nous offrir un programme de qualité et avec un style recherché en ce samedi après-midi. Elle ne portait pas l'uniforme réglementaire d'une danseuse exotique classique et c'était rafraîchissant. Pas de similicuir, pas de lycra à motif léopard, pas de talons hauts en plastique transparent. Juste une petite culotte en dentelle qu'elle caressait parfois d'une main audacieuse. Elle n'était pas bronzée orange non plus. Ça comptait. Je n'avais jamais compris cet attrait pour les peaux d'une couleur surnaturelle. Peut-être que ça aidait les hommes à ne pas confondre les stripteaseuses avec des humaines réelles.

Je me suis quand même demandé pourquoi Angi m'avait traîné là. On n'avait pas l'habitude de faire des activités à caractère sexuel, ni même d'en parler. Peut-être qu'il avait voulu partager sa solitude avec moi. Parce que c'était ça, un club de danseuses : la solitude surlignée en jaune fluo, parée de toc.

On n'est pas restés longtemps. J'ai discuté un peu avec la fille pendant qu'Angi échangeait quelques paroles avec un type aussi blindé que lui.

Alors, tu ne te souviens pas de moi ?

J'ai essayé de chercher dans ma mémoire à l'endroit où je garais mes moments d'égarement, mais je n'avais aucun souvenir d'avoir déjà mandaté cette fille pour qu'elle me fasse une danse de nénés en privé.

C'est Bianca.

Bianca…

Je crois que, dans le temps, tout le monde m'appelait Bianca Fourre-tout.

Wow ! Bianca Fff…

En passant, je ne fourrais pas tout, comme le disait la légende. J'ai seulement couché avec Angelo, et en plus, je l'admirais, comme vous tous. Il a été très doux, très charmant. Tsé, des fois, faut pas croire les légendes…

Et maintenant ?

Elle a souri comme une fille qui se fait bien baiser, qui ne peut s'empêcher de le laisser paraître et sur le coup, j'ai été jaloux. J'avais l'impression qu'aucune femme n'avait jamais souri de cette manière en pensant à la dernière fois où je ~~l'avais baisée~~ lui avait fait l'amour.

Il te paie ?

Qu'est-ce que tu crois ?

J'ai été gêné d'avoir supposé qu'elle vendait son corps, même si on était dans un club de danseuses.

Elle avait deux enfants et finissait sa maîtrise en histoire de l'art. Sur le moment, je me suis dit qu'avec un choix comme celui-là, elle continuerait probablement de montrer ses nénés pendant longtemps. Mais elle ne jouait pas du tout la carte de la séduction. Elle avait l'air de s'en foutre si personne ne se commandait une danse privée. Elle n'affichait pas son menu.

Pour conclure la discussion, elle m'a montré son tatouage de Tweety Bird sur sa fesse ~~gauche~~ droite et m'a fait un clin d'œil. Je me suis dit que tout le monde fait des erreurs de jugement.

Angi est revenu vers nous et on s'est cotisés pour payer un *Shirley Temple* à Bianca avant de partir en feignant de ne pas voir qu'un type se trifouillait ~~le champignon~~ l'entrejambe en douce à deux tables de là. Deuxième victime, deuxième point pour Angi qui a mis en lumière la gingivite flagrante du mec. Elle semblait former autour de lui un nuage de smog comme on en trouve dans les dépotoirs à ciel ouvert de Bombay. Il était en forme, ou j'étais trop soûl pour jouer.

On a continué à marcher sans but précis. On dégrisait.

Mais peut-être pas assez parce que, quand Angi a répondu à son téléphone et que j'ai entendu la voix de Mian qui sortait de l'émetteur, ça m'a fait le même effet que le jour où je m'étais échappé un poids de dix kilogrammes sur le pied en tentant de me fabriquer des muscles, sauf que la douleur était maintenant localisée entre ma gorge et ma poitrine. Peut-être qu'Angi l'a senti aussi parce qu'il a abrégé son appel et m'a aligné quelques phrases pleines d'excuses, ce qui n'était pas dans ses habitudes. Il disait Mian a commencé à m'appeler pour prendre des nouvelles de toi et on correspond, en quelque sorte, à ton sujet.

Ça ou quelques coups droits de la part d'un boxeur vindicatif à qui tu viens de faire un *wedgie*, c'est la même chose. Sauf que je n'avais fait de *wedgie* à personne.

Ce qui me ~~mettait en tabarnak~~ titillait, c'était qu'Angi et Mian semblaient communiquer seulement avec des personnes qui n'étaient pas moi. Leurs historiques respectifs en la matière défiaient les plus sceptiques. Je me suis demandé si je générais en eux cette avarice de paroles. Je me sentais trahi aussi. Ces deux cons s'étaient toujours plus ou moins détestés. Maintenant, ils étaient des traîtres collaborateurs.

Alors, j'ai fait quelque chose que je n'aurais jamais dû faire, car c'était inscrit dans nos lois tacites. Je l'ai jugé, lui, mon ami.

T'as pas d'honneur, mon gars. Tu serais sûrement capable de rouler ta propre mère si ça pouvait te servir à quelque chose. T'es pire qu'un agent d'immeuble *douchebag* qui sourit comme un plouc sur une pancarte devant une maison en brique rose à Brossard.

J'ai planté Angi sur le trottoir mouillé et je suis parti en titubant un peu. J'ai fait semblant de ne pas voir les lèvres de mon ami qui prenaient la forme d'un croissant qui pointe vers le bas.

Un type louche m'a collé aux baskets pendant une bonne partie du trajet jusqu'à mon appartement. Il avait l'aspect d'une verrue grandeur nature, sauf qu'il était gris. Le genre de teint que tu as quand tu fumes l'équivalent de ton futur cancer. Ses cheveux n'aidaient pas l'image globale.

Longs. Ils étaient longs.

Quand tu n'as pas été le premier à piger dans le sac à faces, quand tu ne jouis pas du même genre de visage que Brad Pitt, tu ne peux pas te promener avec une telle crinière. J'avais envie de lui dire T'es pas une putain de licorne, mon vieux ! Tonds la mauvaise herbe ! Et profites-en pour tailler aussi la haie de cèdres sur ton menton, ça n'aide vraiment pas ton cas. T'as l'air d'un joueur de Donjons et Dragons, bordel !

J'étais un peu irrité par Angi et je ne me gênais pas pour rabaisser la première chose qui me tombait entre les mains. Ce n'était pas digne d'un gentleman, mais l'attitude de Face de Verrue ne m'aidait pas.

Il avait beaucoup plus d'intérêt pour moi que j'en avais moi-même. Il n'arrêtait pas de me poser des questions comme si j'étais son nouveau gendre. Il semblait vouloir faire une étude poussée de mes habitudes de vie. C'était beaucoup trop d'enthousiasme pour ce que j'étais capable de prendre. Il m'a donné sa carte professionnelle. Un numéro où le joindre et puis son nom : Guillaume.

Comme il suspectait que je ne l'appellerais pas, il m'a demandé mon numéro de téléphone. La magie du moment a fait en sorte qu'il avait en sa possession un papier et un crayon prêts à être utilisés. C'était un type ~~encombrant~~ pragmatique. J'ai senti que je ne pourrais pas vraiment m'en débarrasser à moins de lui donner ce qu'il attendait de moi. Mon numéro de téléphone. Sept chiffres qui traçaient un chemin jusqu'à mon oreille. Je n'ai même pas triché, je lui ai donné le bon, parce que…

Je l'ai quitté en lançant dans l'air une promesse de rappel que je ne remplirais jamais. Rendu chez moi, j'ai enregistré son contact dans mon téléphone cellulaire sous le nom *Dude* louche avec une crinière de pouliche – ne pas répondre.

J'ai envoyé sa carte dans le sac de recyclage bleu – c'était pour l'environnement – et j'ai eu la conscience tranquille. Je me suis octroyé un deuxième point au concours de jugement. Un pour Angi, un pour Face de Verrue. Sauf que je soupçonnais en avoir perdu pas mal plus, *overall*.

La chose qui a sauvé cette journée aux effluves d'excréments décongelés, c'est que j'avais un message d'Yvonne dans ma boîte de réception de courriels. Ça faisait trois semaines qu'elle était partie.

Comment ça va, toi qui te gèles un peu les fesses dans le printemps nord-américain ?

Ici, c'est le paradis.

J'en suis venue à avoir une définition différente de ce mot de celle du dictionnaire, qui stipule que c'est un lieu où les âmes des justes pourront jouir de la béatitude éternelle après la mort. Ça dit aussi que c'est un lieu de parfait bonheur.

À Kemer, les âmes justes, ce sont les clients. Et ils ne sont pas morts, sauf un mec la semaine dernière qui s'est noyé lors d'un tour de Banane géante. Si tu te demandes ce qu'est la Banane, c'est un genre d'embarcation qui emprunte la forme de ce fruit phallique. On y place les vacanciers en brochette afin de les tirer à l'aide d'un bateau à moteur. Pourquoi une banane ? Personne ne semble le savoir, mais ça excite beaucoup les vacanciers.

C'est le genre de mort épique qu'il est sage de ne pas mentionner lors de funérailles.

Il y a aussi cette histoire de sable qui s'insère partout. Je vais t'épargner les détails, mais je ne suis pas loin d'avoir l'intérieur poli à force d'en avaler des pelletées.

Mes heures de travail s'apparentent au chemin que fait la petite aiguille sur une horloge en vingt-quatre heures. Je suis un scout, toujours prêt.

Pour l'instant, on m'a assigné toutes les fonctions les plus délicieuses. Notamment, je suis responsable de la séance de méditation à cinq heures du matin. Pour clients, je n'ai que des cons qui, entre le bar et leur chambre d'hôtel, bifurquent vers le studio de méditation qui donne sur la plage et viennent m'emmerder en feignant de vouloir se ressourcer. La plupart s'endorment ou s'évanouissent dans une mer de vomissure principalement composée de résidus de cocktails fluo qu'il me faut ramasser par la suite en souriant comme si je n'avais jamais eu d'occupation aussi excitante et comme si c'était un honneur de nettoyer cette substance incarnant la pureté dorée de leur plaisir.

Ici, les rêves deviennent réalité, mais les miens sont absents, je n'ai pas le temps de rêver.

D'ailleurs, je dois y aller.

xxx

J'étais content de recevoir un courriel d'Yvonne, mais je ne pouvais ignorer le fait que ce message divertissant ne me permettait pas de participer. Il m'excluait en quelque sorte. Il n'y avait rien à commenter. Ce n'était pas une conversation, elle m'imposait ses péripéties sans m'y rattacher. Bien sûr, elle me demandait comment j'allais, mais mon nom n'était inscrit nulle part. Elle aurait aussi bien pu écrire ce message à n'importe qui. À tout le monde.

J'ai toujours détesté les courriels de groupe.

Je me suis endormi en tanguant dans mon lit, comme après une journée à la piscine à vagues quand, même une fois revenu sur la terre ferme, les fluides continuent de se balancer à l'intérieur de ton corps. J'ai fait des rêves de banane géante et en me réveillant, je me suis demandé si Adrien avait fait une rechute, même si mes rêves n'avaient pas contenu de croûte à tarte, juste la garniture.

Le lendemain, j'avais promis à ma mère d'aller à l'église avec elle. C'était le genre de promesse que tu fais quand tu te sens un peu coupable de quelque chose. C'est un système de balancier. Tu donnes quelque chose d'important à l'autre personne (mais pas ce qu'elle voudrait vraiment) quand tu sens qu'à l'autre extrémité, tes mauvaises actions pèsent trop lourd. C'est une technique qui n'a plus besoin de faire ses preuves et ce n'était pas la première fois que je l'utilisais.

Dans mon cas, la lourdeur venait du fait que je n'acceptais toujours pas de renouer avec mon cher frère que j'imaginais crouler sous les bijoux en or depuis qu'il avait gagné un ticket sur la voie rapide qui mène au bonheur artificiel. Zoum !

Je ne savais pas pourquoi, mais je me sentais de plus en plus coupable de refuser ce que ma mère imaginait comme l'eldorado familial.

Une mère et ses deux enfants, unis.

Je comprenais ce qu'elle voulait, mais je ne savais pas comment ça pourrait être possible.

Alors j'accompagnais ma mère à la messe. Hop !

Durant le service dominical qui, curieusement, parlait de pardon et de résilience, ma mère ne cessait de me regarder avec ses yeux trop grands. Elle ressemblait à un chaton Scottish Fold, ces petites bêtes dont la surface du visage est occupée par soixante pour cent d'yeux et quarante pour cent de pelage en ouate. Si j'étais au courant de l'existence de ce genre de bestiole, c'était à cause de Mian. Elle m'avait montré des vidéos que je feignais de trouver débiles, mais en fait, j'étais aussi attendri qu'elle. C'était difficile de résister.

Tu as beau être quelqu'un d'aussi stoïque qu'Angi, c'est le genre de chose candide qui émeut n'importe qui.

Je le savais, j'avais fait le test avec lui pour ne pas me sentir seul à être désarmé.

Ma mère, donc, connaissait la technique « Scottish Fold ». Elle semblait l'avoir raffinée ces derniers temps, car je me sentais plus concerné que d'habitude. Je n'étais pas au sommet de ma forme.

Peut-être aussi savais-je que les autres éléments de ma vie devenaient incertains.

Au moment de la communion, j'avais déjà cédé. Lorsque j'ai pris la main de ma mère à la fin de la messe, elle savait qu'elle avait gagné. J'avais même l'impression qu'elle avait anticipé ma faiblesse parce qu'on s'est rendus directement chez Adrien à bord de sa voiture dont le lecteur cassette jouait en boucle des exercices de la technique Nadeau. J'en voulais un peu à ma mère d'avoir réussi à me manipuler. J'en voulais au prêtre d'avoir exécuté une homélie si pertinente. Si je ne connaissais pas si bien ma mère, je l'aurais soupçonnée d'avoir soudoyé l'ensemble du personnel ecclésiastique pour qu'il orchestre quelque chose d'assez émouvant pour me faire obtempérer à sa sempiternelle requête.

La première chose que j'ai vue quand on est arrivés chez Adrien, c'est la laideur de sa maison. En l'espace de quelques semaines, il s'était fait construire un habitat qui ressemblait à un aquarium. Il avait toujours été un peu exhibitionniste, mais le fait de vouloir vivre dans un bocal de verre à travers lequel tous les voisins pourraient voir ses moindres déplacements, ça dépassait tout ce que j'aurais pu m'imaginer.

Adrien est sorti de chez lui quand il nous a vus gravir la pente en voiture. On aurait dit qu'il avait fait exprès de faire bâtir son horrible palace au sommet d'une butte. Peut-être même avait-il fait fabriquer ce promontoire afin d'y déposer l'Aquarium. Être le roi de la montagne avait toujours été une occupation à plein temps pour mon frère. S'il ne pouvait conquérir tous les sommets du monde, il pourrait au moins régner sur sa propre butte artificielle.

Une partie de la maison était encore en chantier. Le toit semblait être pourvu d'une piscine dont le bassin descendait à l'étage inférieur de façon à ce qu'on puisse voir les nageurs depuis la rue au travers des murs de vitre. Il n'y avait pas encore d'eau dans la piscine, mais je sentais que ça ne tarderait pas. C'était indécent et surtout, mégalomane.

Adrien nous a accueillis avec un sourire qui ressemblait à celui de M. Grinch. Même détenteur d'une outrageuse fortune, mon frère avait l'air cupide. Les quinze dernières années avaient creusé quelques sillons sur son visage. Je me suis demandé si, moi aussi, j'avais l'air de ça, parce qu'il ne m'arrivait jamais de me regarder. C'était une perte de temps, ce truc du miroir. Même si Adrien et moi, on ne se ressemblait pas et que son état mental avait probablement contribué à le faire vieillir en accéléré, j'ai douté, quand même. Juste parce qu'on avait le même âge et les mêmes origines. Je me suis pseudo regardé dans la vitre de la voiture, mais je me suis dit que ce n'était pas fidèle à ce que j'étais vraiment.

Dans le trajet de voiture nécessaire pour se rendre chez lui, je m'étais imaginé pas mal de choses, mais jamais qu'il aurait l'audace de me serrer dans ses bras en ayant l'air de ne plus jamais vouloir me libérer de son étreinte. Par-dessus l'épaule de mon frère, je regardais ma mère qui avait la mine d'une femme comblée par la vie, mais à mesure que le temps passait, elle commençait à se tortiller dans sa robe du dimanche. Elle aussi devait se dire qu'il y avait des limites à feindre un contentement aussi démesuré.

Lorsque j'ai été libéré, Adrien m'a regardé droit dans les yeux et j'ai vu qu'il pleurait et que ses larmes remplissaient les rigoles de son visage. Alors moi aussi, j'ai pleuré. Ma mère a commencé à trembler de son côté. Au final, on a refait une boule de bonheur.

C'était les grandes retrouvailles.

J'étais quand même un peu sur mes gardes. De penser que mon frère avait changé à l'obtention d'une somme d'argent faramineuse, c'était comme avoir la certitude qu'un cancéreux peut guérir s'il ne mange que du caviar. C'était louche.

Mis à part l'Aquarium, Adrien ne semblait pas ~~trop~~ adopter l'attitude du nouveau riche pour qui rien n'est à l'épreuve de son portefeuille.

On a mangé des sandwichs à la viande fumée assis sur des coussins parce qu'il n'avait pas encore trouvé de meubles qui s'agençaient avec l'environnement de sa maison. Il avait réussi à dénicher les cornichons célestes, ceux qu'on mangeait au casse-croûte du coin quand on était gamins.

Chaque fois qu'on s'y rendait, on demandait au propriétaire de nous fournir des informations sur la provenance de ses fameux cornichons, mais il avait toujours refusé, pour qu'on continue de venir nous approvisionner à son casse-croûte. Adrien avait réussi un tour de maître en se procurant des informations sur la marque desdits cornichons.

J'ai été un peu inquiété quand il m'a traîné au sous-sol et qu'il m'a montré les bocaux en verre qui s'étalaient jusqu'au plafond, mais il m'en a donné deux et m'a dit de revenir en chercher n'importe quand. Il me ferait un prix préférentiel.

Ça m'a touché parce qu'à l'ordinaire, Adrien m'aurait attaché sur une chaise en face de sa collection de condiments et aurait engouffré des cornichons devant moi jusqu'à ce qu'il dégueule sur mes genoux. Il m'aurait dit Mange, je t'en ai gardé un petit peu.

Adrien avait changé.

Je sais que, quand je te parle d'Adrien, je ne le dépeins pas de la meilleure manière. Je ne peux pas m'en empêcher. Je sais aussi qu'il est quelqu'un d'important pour toi. C'est inévitable. Je suis un peu plus lucide que toi par rapport à notre situation familiale. Peut-être a-t-il réellement changé depuis qu'il te connaît. Je voulais te dire que tu es le seul juge de son caractère, même si la plupart du temps, je te le montre comme un pur connard, ça ne veut pas dire que je n'éprouve pas une certaine affection envers lui. Les liens familiaux sont parfois complexes.

Le printemps n'est pas une bonne saison de nostalgie. Tout le monde attend l'été avec impatience. C'est une saison d'anticipation. C'est ce qui fait sa renommée. Ça nourrit les espoirs de voir que les choses renaissent.

L'automne, avec ses couleurs des années soixante-dix, est la haute saison de la mélancolie. C'est ma période préférée.

Il est toujours possible d'être nostalgique de l'hiver, mais tu te fais un peu regarder de haut. Aussitôt que les fêtes sont passées, l'hiver perd son prestige. La neige, c'est beau au début, mais après quelques bordées, tu en arrives vite à la conclusion que la beauté immaculée a aussi ses revers pervers lorsque ton frère abat sa pelle sur ta tête alors que tu accomplis ta corvée journalière de déneigement et que tu passes la semaine suivante dans ton lit avec une commotion cérébrale comme seule amie, en espérant que tu auras bientôt une rage de tarte aux bananes. Ce n'est pas une saison pratique.

L'été, c'est la saison du présent. Même si tu transpires la moitié de ton poids en eau chaque jour, c'est facile de garder le moral. Les sourires sont contagieux, ils se déplacent plus aisément d'un visage à un autre, comme des virus exotiques.

Je n'avais toujours pas répondu au message d'Yvonne. Qu'aurais-je pu écrire ?

C'est bien beau tout ce que tu vis, mais j'aurais aimé le vivre avec toi ou j'aurais aimé que tu restes ~~avec moi~~.

La vérité était pathétique.

J'ai préféré avoir l'air du gars qui ne répond pas à ses courriels alors qu'en vrai, je déjeunais chaque matin devant son message en priant pour avoir la force d'écrire quelque chose de bien dosé, entre réalité et espoir, avec des émoticônes choisies avec soin.

Ce n'est pas donné à tout le monde d'avoir ce talent. Il faut aussi avoir des couilles. Des couilles que tu n'as pas peur de perdre en te les faisant trancher par une réponse en couperet. Cette éventualité me démotivait.

J'avais peur de me mouiller. C'était clinique.

Ces temps-là, je pensais souvent à Adrien. Depuis qu'on s'était revus, des souvenirs refaisaient surface. Ma mémoire ne parvenait plus à le tenir à l'écart. J'avais pratiqué le déni, mais les pots de cornichons dans mon frigidaire me rendaient la tâche ardue.

On n'avait pas fait les fous, on s'était vus une seule fois. On prendrait notre temps.

Même si je n'avais presque aucun bon souvenir de lui, je les revisitais en tentant d'y trouver quelque chose de positif. Peut-être que je faisais ça pour ne pas trop penser à Yvonne. Ou à Mian. Ou à Angi.

J'étais fâché, mais pas vraiment.

Ça faisait un mois que je n'avais pas revu Mian, et je me sentais assez bien pour lui expliquer la raison de ma fuite lorsque nous nous étions vus au café. Si elle avait eu besoin de clarifier certaines choses en parlant avec mon meilleur ami, il serait peut-être bon que je lui glisse un mot sur cette histoire de nouvelle flamme qui me brûlait le bout des doigts.

Ça, c'est l'histoire que je me faisais dans ma tête parce que, quand je fouillais un peu les décombres, je trouvais des restes de sédiments amoureux qu'il aurait mieux valu exposer au grand jour au lieu de faire semblant qu'ils n'existaient plus.

Il y a toujours plusieurs strates aux choses qu'on se dit dans notre tête.

Parfois, tu sens que tu es vraiment honnête, mais ce n'est pas vraiment le cas parce que certains événements viennent mettre à jour tes mécanismes d'enfouissement.

Des fois, c'est comme si ta maison avait été construite sur un cimetière désaffecté. Après quelque temps, tu t'aperçois qu'il y a des zombies qui hantent tes nuits, qui viennent mettre le bordel dans ta vie, qui te mordillent le bout des orteils, et ce n'est pas long avant que tu en deviennes un à ton tour, parce que ça se transmet, la zombification. Il aurait juste fallu ne pas ignorer les pierres tombales et les ossements que tu voyais dépasser du terrain en friche. Tu te dis peut-être que je confonds les zombies avec les morts-vivants, mais c'est exactement la même chose. C'est verdâtre, c'est mort, ça te veut du mal.

Je me suis seulement rendu compte de ma malhonnêteté au moment où j'avais mes lèvres collées sur celles de Mian. Il y avait mes mains qui mesuraient le galbe de ses fesses aussi. Si j'avais regardé les choses avec un peu moins de déni, peut-être n'aurais-je pas organisé cette rencontre avec elle. Je n'étais pas prêt.

Déjà, l'heure de notre rendez-vous aurait dû me mettre la puce à l'oreille. C'était elle qui avait proposé l'heure, mais qui, vraiment, accepte un rendez-vous avec une fille comme Mian à vingt heures sans avoir l'intention que des choses pas catholiques se passent ?

Si tu veux t'assurer que ça dégénère, c'est le meilleur moyen.

J'avais beau me dire que j'avais simplement voulu clarifier les choses avec elle, on était tous les deux au courant qu'il ne s'agissait pas vraiment de ça.

Toute la soirée, elle m'a rayonné son nouvel éclat en plein visage. Moi, j'étais seulement triste et sensible à cette lumière. Tous ces gens qui changeaient autour de moi, ça me déprimait. Je continuais à faire du surplace dans une mare de mélancolie. Wouf, wouf…

Mian était volubile, coquine et elle dégageait le genre d'odeur qu'il est difficile d'ignorer. Alors je prenais des sniffées en douce en prétendant que ça ne m'enivrait pas. Mon nez avait tendance à s'approcher de la source de ces effluves.

Je ne sais pas si tu sais, mais un nez, c'est situé près d'une bouche, alors comme tu peux l'imaginer, ça a vite dérapé.

Tous les deux, on faisait semblant que ce n'était pas en train de se passer. On continuait à parler. Les sujets de discussion n'effleuraient aucun des sujets importants qu'on aurait dû aborder. On niait la situation avec beaucoup de grâce.

Mian n'avait rien à se reprocher, elle ne trahissait personne. Moi si.

Alors au moment de son invitation à monter chez elle, j'ai fait comme si je voulais prendre mon temps avec tout ça et je me suis carapaté chez moi comme un chevreuil qui entend une brindille craquer sous le pied d'un chasseur.

Je ne savais pas pourquoi exactement, mais j'ai senti que j'aurais enfin la force d'écrire à Yvonne en arrivant chez moi.

Si tu te dis que c'était parce que j'avais moins peur du rejet maintenant que Mian était revenue dans les parages, je t'arrête tout de suite. Ensuite, je réfléchis un peu, et je me dis que tu as peut-être raison.

C'était sûrement ça. Mais autant utiliser l'inspiration soudaine qui germait en moi au lieu de la jeter sous prétexte qu'elle venait du mauvais endroit.

Tu ne peux pas juger la source d'une inspiration. Tu peux seulement l'utiliser du mieux que tu peux pour en faire une œuvre d'art.

Je n'irais pas jusqu'à dire que mon message à Yvonne était une œuvre d'art, mais ça avait l'avantage d'être réel, au moins.

Chère Yvonne,

N'essaie pas de me tenter ou de me faire saliver avec tes images paradisiaques, car ça ne fonctionne pas. Et puis, j'ai tendance à mal bronzer. Ça prendrait trop de temps pour égaliser tout ça.

Le printemps ici est tellement prometteur que personne n'a envie de s'en échapper. Tu as fait une grave erreur en t'en privant.

Les choses bouillonnent un peu autour de moi. Ce serait trop long à écrire et d'un ennui mortel puisqu'il faudrait que je te dresse un historique complet de mon passé et comme je sais que tu ne t'intéresses pas à ces données anachroniques, je vais seulement te dire que je pense à toi, parfois.

Je te laisse à tes vacanciers en espérant que l'un d'eux aura la bonne idée de mourir sous ta garde et que tu sois renvoyée pour négligence. Peut-on faire une crise cardiaque en pratiquant la méditation ? Peut-être à ta vue... Je pourrais ainsi continuer à t'ensorceler avec mes tactiques de mec gêné, qui sait ?

Alexi xxx

P.-S. Les fleurs t'attendent pour éclore. Peut-être que tu devrais te dépêcher de revenir, car je les entends s'impatienter.

Je trouvais que j'avais fait un travail ~~admirable~~ décent. Il y avait tous les éléments que j'avais voulu intégrer. Ce n'était pas trop long. Ça se lirait bien entre deux margaritas offertes par un beau vacancier en quête de chair fraîche. Peut-être même que ça dissuaderait Yvonne.

Là, je vais faire un bond de plusieurs mois dans la chronologie de l'histoire. Il ne s'est rien passé d'intéressant pendant cette période.

J'ai revu mon frère quelques fois. Il voulait me présenter sa copine. Adrien a toujours eu le don de se faire des blondes exquises et, la plupart du temps, d'une intelligence qui te coupe le souffle au même titre que les coups qu'il m'envoyait dans le ventre quand on se croisait à l'école secondaire et qui me donnaient l'impression que mes tripes s'enroulaient autour de son poing.

La copine en question faisait encore partie de ce lot de femmes que lui seul pouvait dénicher. On aurait dit qu'il savait où se trouvait la talle. Mais il ne communiquait pas les coordonnées de sa trouvaille. Il restait flou quant à la provenance de son matériel.

Adrien était d'humeur joyeuse, il était consciencieux et chaque fois qu'on se voyait, il parvenait à diluer un peu la mauvaise opinion que j'avais de lui. Je n'avais pas eu de rage de tarte aux bananes depuis plusieurs années, si j'excluais les rêves de l'autre jour, et je crois que les choses s'étaient calmées de ce côté-là.

Mian et moi, on se bécotait. J'avais une barrière morale à respecter.

J'espérais que toute cette retenue me serait bénéfique par la suite. Elle semblait déçue de me voir m'évader au moindre avancement, mais comme elle m'avait fait la même chose, ma culpabilité était modérée.

Quatre mois constituent une période vraiment longue pour refuser les avances d'une si belle femme qui, en plus, ne ménage pas les tactiques pour séduire. Je ne souhaite à personne de connaître ça.

Pourquoi agissais-je ainsi ? Je dirais que c'était parce que j'attendais Yvonne.

Avais-je l'impression d'utiliser Mian ?

~~Oui.~~ Probablement.

Mais je devenais assez bon dans le déni.

Je continuais à envoyer des messages pleins de verve à Yvonne. Elle tardait un peu avant de répondre, mais au final, ça finissait par arriver. Le passage du temps pour elle n'avait pas la même signification que pour moi.

Une chose à propos de l'écriture. C'est facile d'interpréter les mots pour qu'ils prennent une signification qui se rapproche de ce que tu veux comprendre. Je me suis découvert un talent prononcé dans l'analyse linguistique artistique. Et je me plaisais à penser que les messages codés que je parvenais à extraire des phrases d'Yvonne étaient exactement ce qu'elle avait voulu me transmettre. Erreur... ERREUR !

Angi s'est amendé en me cuisinant lui-même les boulettes de viande de madame Butschi. C'était une première. Il m'a même remis une photocopie plastifiée de la vraie recette. C'était une dérogation exceptionnelle, car personne de sa famille n'avait jamais partagé ses secrets de cuisine avec un étranger. Je ne savais pas s'il avait demandé la permission à sa mère, mais je me retiendrais d'en parler à qui que ce soit.

Sauf à toi, parce que je sais qu'au moment où tu en parleras à quelqu'un, l'eau aura coulé sous les ponts.

Parfois, Mian se joignait à nous et curieusement, les conversations vivaient un peu plus longtemps que d'habitude. Elle agissait comme un émollient, un décodeur. Ça m'inquiétait un chouia parce que je me disais que tout cela aurait une fin lorsqu'Yvonne reviendrait. On aurait dit que je voulais tout à la fois. Le présent, le passé, le futur, mais que je ne m'impliquais dans aucun de ces laps de temps par peur de manquer quelque chose ailleurs.

Le jour du retour d'Yvonne, j'avais l'impression d'avoir un bâton de dynamite scotché dans la main et de ne pas pouvoir m'en débarrasser. Je regardais l'étincelle descendre le long de la mèche et je me disais que ce serait l'apocalypse. Splash! Des bouts de chair sur les murs, du rose du rouge du rose du rouge.

Je tournais en rond dans mon appartement en cherchant un endroit où me poser. Je butinais sur le sofa quelques secondes, je m'affalais sur mon lit quelques minutes. J'essayais de lire. Je fouillais mon nombril pour en retirer les mousses qu'il fabriquait en cachette. Je vérifiais mon téléphone portable toutes les ~~cinq~~ deux minutes au cas où je n'aurais pas entendu la sonnerie, alors qu'un silence de mort régnait autour de moi.

Je ne me sentais pas doué pour l'anticipation. À force de vivre dans le passé, j'avais perdu mes facultés à gérer l'attente et je ne savais pas si la vraie Yvonne serait à la hauteur de celle qui était restée dans ma tête pendant cinq mois.

Le pire, c'était que j'ignorais si elle allait vouloir me voir ou même m'appeler en arrivant. J'avais supposé que son envie de moi serait égale à la mienne.

Quand tu présumes ce genre de chose, il y a des risques que tu sois déçu. Il est plus sage de s'attendre au pire.

Yvonne m'a bien appelé à son retour, au bout de ~~deux~~ trois jours. J'avais eu le temps de pondre tout un lot de phrases assassines dans ma tête, mais je savais que je n'en utiliserais aucune parce qu'au moment où je la verrais, elles s'envoleraient toutes comme une nuée de chauves-souris au fond d'une caverne sur laquelle tu viens de braquer le faisceau d'une lampe de poche.

On s'est donné rendez-vous au coin d'une rue.

Même si j'avais mon radar en position alerte, je ne l'ai pas aperçue à temps. Elle m'a sauté dessus par derrière comme un lion de cirque sournois qui attaque son dresseur. Ça paraissait qu'elle était contente de me voir.

Elle était devenue brune à force d'encaisser les assauts du soleil tous les jours. Ses cheveux avaient un peu allongé. Elle s'était fait une tresse française sur le côté droit de la tête. Elle avait l'air d'une Polynésienne et elle sentait la plage. Un mélange de sable, de gousse de vanille, de noix de coco, de sel et de quelque chose d'un peu épicé que je n'arrivais pas à identifier. Ça m'a plu. J'ai presque senti des vagues me bercer le corps.

On est allés prendre un verre sur une terrasse. C'était la canicule. La chaleur dégagée par l'asphalte déformait un peu les choses. Il y avait des mirages partout. Je me demandais si Yvonne n'en était pas un. À force de l'avoir attendue, j'avais peur qu'en tenant sa présence pour acquise, elle s'évapore entre mes mains. Elle était mon oasis en plein milieu d'un désert de solitude.

Je t'entends tout de suite protester et me dire que j'abusais de Mian et que cela ne peut pas être considéré comme de la solitude. Moi, je te dis que si. Tu ne peux pas tout comprendre.

Tout se passait très bien. C'était comme si elle ne m'avait jamais planté au milieu de la slush hivernale comme une boule de crème glacée dans un flotteur. C'était comme si on avait toujours été faits pour être ensemble.

D'un commun accord, on a dérivé jusque dans la salle climatisée d'un cinéma. Le film qu'on est allés voir m'a semblé nébuleux, surtout parce qu'Yvonne avait sa main sur ma cuisse et que ça m'excitait me déconcentrait un peu. Au début, elle gardait ses deux mains sur ses genoux, comme une écolière. Et je n'arrêtais pas de penser au fait que j'aurais aimé qu'elle en dépose une, seulement une, sur ma cuisse, de préférence une main qui a des tendances à escalader les collines qui se trouvent sur son chemin. Elle a profité d'une scène pleine de bombardements et d'explosions pour déborder de mon côté et là, j'ai cessé de voir les bombes qui éclataient à l'écran. J'ai seulement senti mon cœur qui battait un peu partout dans mon corps, y compris entre mes cuisses.

C'est après ça que ça s'est gâté.

On marchait main dans la main sur le trottoir. Elle serrait la mienne comme si elle avait voulu me faire mal. Je lui racontais que mon ami Angi envisageait de faire un voyage dans le sud de l'Italie pour aller voir le cousin de sa mère. Yvonne m'a soudainement coupé pour me dire Tu devrais y aller avec lui.

J'ai tout de suite senti que quelque chose n'allait pas. Elle n'était pas censée m'encourager à partir alors qu'elle venait tout juste de rentrer. Elle n'était pas vraiment attachée à moi. J'ai eu l'impression qu'elle coupait un à un les fils invisibles qui nous liaient en me regardant droit dans les yeux. Coupe coupe !

Ça me rappelait Adrien.

Chaque fois que ma mère lui disait de ne pas faire quelque chose, comme de ne pas me planter une épingle à couche dans les côtes, il la regardait avec un air de défi et continuait à me charcuter les flancs en jaugeant sa réaction. Ma mère était subjuguée par son audace folle et elle réagissait avec un certain retard. Assez en tout cas pour que je garde quelques cicatrices. Elle avait peur d'avoir un psychopathe comme fils et elle faisait semblant que j'étais une chochotte de me plaindre de ses assauts.

Je ne me défendais jamais parce que les représailles étaient pires. J'encaissais les coups, ça commençait à faire des vagues éternelles dans mon intérieur.

J'ai dit à Yvonne Je t'ai attendue.

Elle m'a dit des choses que je n'aurais jamais voulu entendre et elle me les a dites en pianotant sur mon bras avec ses doigts, en soulignant chaque syllabe prononcée. J'ai supposé que c'était pour que j'avale ses paroles sans broncher, comme si, parce qu'elle me touchait, ses mots monstrueux avaient moins de poids.

Je suis avec Phil, un Australien. Il passe quelques semaines ici avec moi.

Tout à coup, il y a eu un tremblement de terre dont l'épicentre était situé sur ma lèvre inférieure. J'ai senti un grondement dans ma tête et ça sonnait comme TOI MA GROSSE CRISSE DE BITCH MON OSTIE DE PLOTE MOLLE TRAÎTRE QUI UTILISE LES GARS POUR TE PROUVER QUE T'ES QUELQU'UN DE DÉSIRABLE À FUCKING TEMPS PLEIN TU ES LE PIRE ANUS SLACK DE L'UNIVERS! Mais j'ai été le seul à m'en rendre compte. Je n'ai plus été capable d'articuler un seul mot après le sinistre.

Elle a fini de planter le pieu qu'elle avait enfoncé dans ma poitrine.

Si tu veux, je te le présenterai, on se fera un souper ensemble.

J'ai eu envie de lui parler de la main qu'elle avait laissé traîner partout sur ma cuisse pendant le film. Je voulais lui dire que ça avait été injuste qu'elle fasse ça.

Tu ne peux pas toucher quelqu'un sans sa permission et escalader des collines de chair si tu sais que tu as un Australien qui t'attend chez toi avec ses mèches blondes et ses jambes musclées de cowboy.

On a marché en silence jusqu'à son arrêt d'autobus et juste avant d'embarquer, elle m'a regardé avec les yeux pétillants d'une fille qui part rejoindre son amant, le même pétillement que Bianca F. avait eu en pensant aux bonnes baises partagées avec mon ami Angi. Elle m'a quand même dit Moi aussi, je t'ai attendu. Tu n'es jamais venu. Tu aurais dû me sauter dessus il y a longtemps. Je n'attendais que ça.

Ce qu'elle venait de faire était illégal. Elle n'avait pas le droit de m'accuser de ça. Il était vrai que je n'avais jamais parlé de m'inviter à Kemer, mais c'était parce que je m'étais retenu de toutes mes forces de peur qu'elle refuse avec des phrases pleines de pitié. À force d'en récolter, ça me faisait une trop grosse collection.

Mon téléphone a sonné et sur l'afficheur, il y avait *Dude* louche avec une crinière de pouliche – ne pas répondre.

Je n'ai pas répondu.

Coupe coupe !

Même si je n'avais aucune envie de suivre le conseil d'Yvonne, je n'ai pas eu le choix d'accompagner Angi dans les Pouilles.

Il m'a traîné de force en m'achetant un billet d'avion et en appelant lui-même mon employeur pour qu'il m'octroie un mois de vacances. J'avais fait du bon travail dernièrement et je pourrais continuer certains projets à distance. En bon Italien, Angi pouvait être très persuasif quand il le voulait. Il jouait son rôle de mafioso à la perfection. En passant, je n'étais pas au courant de ses sources de revenus. Pas au courant du tout.

Devant l'insistance de mon ami pour que je l'accompagne en voyage, je n'ai pas protesté, ça me semblait être un effort trop important dans un monde où me faire cuire des pâtes était devenu une activité épuisante.

Arrivés à l'aéroport de Bari, on a pris un taxi jusqu'à Conversano où habitait son grand cousin. Le conducteur nous a laissés près de la cathédrale et l'on a fait le reste du chemin en traînant nos sacs à peine remplis sur les pavés piétonniers. C'était Angi qui avait fait mes bagages. Il avait lancé deux t-shirts, un maillot de bain, un short et une paire de pantalons dans mon sac Vuarnet vert et jaune. Je l'avais regardé faire à l'horizontale en lui trouvant des dons pour le voyage léger.

Au bout de quelques minutes, on est arrivés devant une maison dont la façade en pierre n'était pas plus large que mes bras ouverts, mais qui était haute de quatre étages. Angi m'a dit Elle a été construite au quatorzième siècle et mon grand cousin l'a achetée pour quelques milliers d'euros avant de la rénover.

Il y avait une pièce par étage. Au premier, c'était le salon. Au deuxième, une chambre munie d'une petite douche et d'une toilette. Il y avait un autre salon au troisième. La cuisine occupait le quatrième étage qui débouchait sur une terrasse où se trouvait le cousin de sa mère en train de flatter des feuilles de basilic avec ses mains qui ressemblaient à du chorizo.

La peau tannée par le soleil, l'homme nous a souri et sa mimique s'est imprimée longtemps sur son visage, comme si son épiderme manquait d'élasticité et que ça lui prenait du temps avant de revenir à sa forme neutre. Il a embrassé Angi sur les joues et m'a dit quelque chose en italien. Mon ami a traduit.

Il te demande si tu parles un peu l'italien.

J'ai répondu Más o menos.

Luigi m'a tapoté l'épaule et Angi m'a chuchoté Ça, c'est de l'espagnol, *dude*.

Je n'étais pas vraiment doué pour les langues.

Luigi nous a donné chacun une feuille de basilic. Je l'ai mâchée comme une gomme et c'était vraiment bon. J'ai levé mes pouces dans les airs vers Luigi pour lui signifier mon appréciation. Il m'a retapoté l'épaule, mais un peu plus fort. On aurait dit qu'il testait ma solidité pour voir si j'étais digne de traîner avec Angi.

Il nous a guidés vers le troisième étage pour nous montrer le matelas dégonflé qui gisait au sol comme un corps sans vie.

Troisième tape sur l'épaule. J'ai tangué un peu sous la secousse cette fois-là.

Je me suis tout de suite attelé à la tâche. Au bout de quelques expirations, j'ai eu la tête qui tournait. L'embouchure du matelas goûtait la vieille salive et le caoutchouc un peu pourri.

Angi et Luigi trinquaient déjà au Campari et grugeaient des olives d'un vert fluorescent en me regardant bosser sur l'épave du matelas. J'avais l'impression d'essayer de réanimer un cadavre. Ils parlaient très vite et ça m'a presque choqué d'entendre Angi prononcer autant de mots.

On s'est rendus à Polignano a Mare, une petite ville à quelques kilomètres de là, les trois en brochette sur un scooter qui faisait des bruits louches. Luigi semblait un peu soûl parce qu'on faisait des zigzags inutiles sur la route. Quand on a croisé un rond-point et qu'on a vu un chien errant qui attendait sagement son tour pour traverser la rue, Luigi a sorti son meilleur français pour me dire Ici, en Italie, les chiens savent comment traverser la rue.

Au même moment, le clébard s'est jeté directement sous la roue avant du scooter et Luigi a contre-braqué pour l'éviter.

J'ai eu peur de mourir avec le regret amer qu'Yvonne m'avait laissé dans le ventre.

On s'est arrêtés devant la statue de Domenico Modugno et j'ai eu sa chanson, *Volare*, qui m'a volété à l'intérieur de la tête toute la soirée. C'était con parce que les seules paroles que je connaissais, c'était justement « volare, oh-oh, cantare, oh-oh-oh-oh ». Pour le reste, je passais rapidement par-dessus les mots inconnus.

Luigi tenait à nous inviter au restaurant de son ami.

Juste avant qu'on pénètre dans l'établissement, il m'a dit Ici, à Polignano a Mare, il y a le meilleur restaurant de fruits de mer de toute l'Italie.

Ça tombait bien qu'on y soit.

Au cours de la soirée, il y a eu beaucoup de phrases qui ont commencé par Ici, en Italie...

Ou Ici, dans les Pouilles...

Ou Ici, dans ce restaurant, ils font le meilleur panna cotta.

Je voyais bien à quel point on était chanceux d'avoir atterri ici.

On s'est à peine assis que les plats ont commencé à affluer sur la table. Il y avait des sardines frites, des calmars frits, des palourdes marinées, plusieurs types de poissons, du vin, du pain, de la mozzarella di Bufala, de la scarmoza, de la ricotta qui baignait dans une piscine de crème, des olives de toutes les couleurs. Au bout d'une heure, j'avais le ventre gonflé comme celui d'un enfant affamé du Darfour, je suais des substances oléagineuses par mes pores et je m'apprêtais déjà à remercier Luigi pour un si bon souper que d'autres plats encore plus appétissants ont fait irruption sur la nappe tachée d'huile. J'ai regardé Luigi et il m'a dit Mon pauvre Alexi, ce n'était que les antipasti. Maintenant, on passe aux primi piatti.

Si les Italiens avaient décidé d'appeler ça les premiers plats, c'était qu'il y en avait probablement d'autres à venir. Il y avait un au-delà après la mort par explosion de l'estomac.

Angi m'a refilé en douce un Sgroppino, un trou normand italien.

Ça, c'est quand t'essaies de leurrer ton corps avec un alcool fort qui brûle tout sur son passage comme si c'était un feu de forêt. Tu te dis que t'es encore capable de manger, alors qu'en fait, il serait plus logique de tu t'arrêtes là, surtout quand tu reviens en scooter et que le conducteur semble penser que la route est une table à dessin. Ils sont téméraires, les Italiens.

Le meilleur moment de la soirée a été quand j'ai commandé Uno pétito café au serveur et qu'il m'a regardé comme si j'étais le fantôme de Domenico Modugno en personne, puis il s'est mis à rire et à me tapoter la joue, fort.

Le lendemain matin, le matelas était à nouveau dégonflé. On avait passé la nuit à descendre tranquillement au son d'une minuscule entaille qui sifflait, jusqu'à ce qu'on se retrouve directement sur le plancher. Et Angi qui grinçait encore des dents pour s'assurer qu'il ne lui reste que les racines rendu à quarante ans.

Ça faisait quelques jours qu'on était là et je me suis rendu compte que la majorité de nos activités avaient à voir avec la nourriture.

Par exemple, le deuxième soir après notre arrivée, je n'avais pas encore fini de digérer notre repas de la veille et l'on était déjà en train de chasser notre banquet pour le souper. Angi et moi arpentions la ville et nous nous arrêtions dans chacun des commerces que nous croisions. On aurait dit que chaque ingrédient qui constituait un repas avait droit à son propre magasin. Aussi, adoptant l'habitude de Luigi, Angi se plaisait à me dire que les produits que nous achetions étaient les meilleurs de la région, de l'Italie, voire du monde entier. Une des choses les plus absurdes que j'aie entendues jusque-là, tout droit sortie de la bouche du créateur de la théorie sur les chiens italiens, c'était qu'ici, à Conversano, il y avait la meilleure eau potable de toute l'Europe.

C'était difficile de trouver des arguments convaincants pour réfuter ces affirmations grandioses, surtout qu'il y avait une certaine possibilité que ces deux Italiens aient raison.

Alors je prenais des airs étonnés, mais ravis chaque fois qu'on me balançait une phrase qui commençait par Ici…

Angi n'était jamais venu visiter son parent, mais tout le village semblait le connaître et il jouissait du même halo de sainteté qu'au moment où il débarquait avec sa moto dans le quartier italien chez nous.

Sauf que la machine que nous conduisions s'apparentait davantage à une tondeuse à gazon centenaire qu'un scooter.

Quand le fait d'aller chercher les meilleures amandes du pays à dix kilomètres de Conversano relève d'une expédition à l'issue préoccupante, tu sais que tu es dans le sud de l'Italie et qu'il te faudrait peut-être envisager de souscrire à une meilleure assurance voyage, surtout si ton moyen de transport explose un peu dans tes mains alors que tu essaies de faire demi-tour dans un stationnement de roulottes de manouches qui te regardent en aiguisant leurs couteaux rutilants et en te jugeant du haut de leurs habits en pelure d'oignon.

On passait une bonne partie de nos journées à la minuscule plage de Polignano a Mare située dans un renfoncement de la falaise surmontée de belles maisons ocre. Des centaines de parasols s'entassaient sur la mince bordure de sable et les vendeurs de limonade fraîche zigzaguaient entre les jambes brunes des estivants en suant à grosses gouttes. La chaleur était insoutenable, surtout qu'elle me faisait penser au jour où Yvonne avait mêlé un Australien à notre histoire. Le TOI MA GROSSE CRISSE DE BITCH MON OSTIE DE PLOTE MOLLE TRAÎTRE QUI UTILISE LES GARS POUR TE PROUVER QUE T'ES QUELQU'UN DE DÉSIRABLE À FUCKING TEMPS PLEIN TU ES LE PIRE ANUS SLACK DE L'UNIVERS ! se transformait tranquillement en PUTAIN QU'ELLE ME MANQUE MA GROSSE CRISSE DE BITCH MON OSTIE DE PLOTE MOLLE TRAÎTRE QUI UTILISE LES GARS POUR SE PROUVER QU'ELLE EST QUELQU'UN DE DÉSIRABLE À FUCKING TEMPS PLEIN ~~TU ES LE PIRE ANUS SLACK DE L'UNIVERS~~ ! Je songeais souvent à ce qu'Yvonne m'avait dit : qu'elle n'était pas capable d'être seule. Je me disais qu'elle n'était pas non plus capable d'être deux. Elle voulait être plusieurs, avoir un harem, quelque chose comme ça.

Luigi nous accompagnait parfois à la plage. Il étendait son grand drap de bain décoloré sur la mince couche de sable, dentelle de la mer, et suivait du regard les moindres déambulations de la gent féminine. Il avait beaucoup de boulot.

Il avait beau avoir autour de soixante-quinze ans et ressembler à ~~une poche de patates~~ ~~E.T.~~ un ver de terre desséché sur le bord du trottoir, Luigi n'avait pas abandonné l'idée de séduire une de ces jeunes Italiennes aux seins bien perchés au-dessus d'une taille effilée malgré la richesse qui caractérisait les repas dans ce coin de pays. Luigi s'amusait à pérorer qu'ici, sur la plage de Polignano, il y avait les plus belles femmes du monde. L'excellence nous poursuivait jusqu'à la mer.

J'ai eu envie de lui dire qu'il y avait Yvonne, mais c'était pathétique de penser que la plus belle femme du monde venait de me remplacer par un cowboy de l'*Outback*, et qu'elle continuait de m'écrire parfois, juste pour entretenir le brasier dans ma poitrine.

Le farniente aurait pu continuer comme ça longtemps, mais il y a eu ce jour où Angi m'a annoncé qu'il nous avait inscrits au concours de plongeon de falaise qui aurait lieu dans une semaine.

Ce n'est qu'un concours amateur, qu'il m'a dit.

Il y avait plusieurs mots inquiétants dans les phrases précédentes.

D'abord, « plongeon ».

Je ne plongeais pas. Je sautais en petite boule dans l'eau en me bouchant le nez, en fermant les yeux et en couinant comme un goéland.

Tu as le droit de rire, mais si tu le fais, sache que je me vengerai le jour où je te verrai plonger.

Ensuite, « falaise ».

Je ne sais pas si tu le sais, mais la majorité des falaises à Polignano mesurent au-delà de vingt mètres. Ce n'est pas de petits rochers desquels tu peux tranquillement sauter et produire un léger plouf en atterrissant dans l'eau.

Puis, le mot « amateur ».

Si j'avais été un professionnel du plongeon, aucun des deux mots précédents ne m'aurait alarmé. C'était justement mon statut d'amateur qui me faisait redouter le pire.

Devant la détresse que mes yeux exprimaient, Angi m'a tapoté l'épaule et m'a dit Arrête d'avoir peur, mec, tu ne vivras jamais sinon.

C'était une belle phrase, mais surtout, c'était ridicule venant de la bouche du gars qui n'avait jamais osé se lancer dans une relation amoureuse et surtout qui avait un tatouage de Batman sur la cheville, probablement exécuté la même journée que le petit oiseau jaune perché sur le cul-tight de Bianca F.

Alors, pour l'impressionner, j'ai dit D'accord, je saute de la falaise. Mais je veux que tu me promettes que la prochaine fois que tu rencontreras une fille qui te fait triper, et je sais que ça t'arrive parfois, tu vas lui proposer d'être avec toi.

J'étais certain qu'il refuserait.

Angi m'a tendu la main pour sceller le pacte.

C'est comme ça que je me suis tiré deux balles dans le pied. La première m'est rentrée dedans au moment où j'étais au bord de la falaise devant l'immensité lapis-lazuli de la mer et que j'avais l'impression que j'allais mourir et vomir en même temps.

Au bout de trois semaines en Italie, j'ai reçu une carte postale de mon frère. Il avait l'air de penser que sa nouvelle vie de millionnaire était comme un voyage à temps plein et qu'il devait m'informer des péripéties qui jalonnaient son quotidien glorieux.

La carte postale mettait en scène une famille devant un feu de foyer : deux fils, un père, une mère. Ils étaient tous accoutrés de la même chemise à carreaux orange et souriaient béatement à la caméra tenue par quelqu'un qui avait un très mauvais goût en matière de composition. C'était le genre de photo tirée d'un album familial du début des années quatre-vingt-dix et qui avait été recyclée pour en faire des cartes de fête cocasses. En la regardant, on espérait que les belles années étaient à venir.

Le plus jeune des deux fils avait visiblement eu une fuite d'urine, car un cerne plus foncé ornait son entrejambe. Mon propre frère avait eu l'idée de hachurer le profil du père pour qu'il ne soit qu'une ombre sur la photo. Au dos de la carte, il y avait un mot d'Adrien.

Bonjour frère,

Je suis tombé sur ce trésor hier dans une librairie et j'ai eu envie de te faire un petit coucou. Tu remarqueras que j'ai altéré un peu l'image pour qu'elle reflète davantage notre famille. J'espère que tu ne m'en voudras pas, c'est fait avec autodérision.

Je voulais te dire que la vie est belle ici. J'ai remplacé ma copine par une autre de bien meilleure qualité. J'ai hâte de te la présenter. Elle ressemble à une sirène.

Et moi je suis son pirate qui trône sur un rutilant trésor.

Maman te dit bonjour et elle dit aussi d'éviter de trop manger, car après trente ans, le gras s'installe plus facilement autour de l'abdomen.

A.

Il n'y avait aucun doute que le garçon incontinent de la carte postale, c'était moi. J'avais passé mon enfance avec le fond de culotte mouillé. C'était une bonne blague, surtout qu'Adrien n'en faisait jamais.

Il avait barbouillé le visage de notre père fictif. Ça avait quelque chose d'assez intéressant. Peut-être avait-il cessé de le confondre avec un dieu et qu'il lui redonnait son statut légitime du mec qu'on se permet de hachurer de nos vies pour que même son ombre ne plane plus au-dessus de nos têtes.

Le jour du plongeon, disons que j'avais de farouches envies de partir avec le scooter sur le chemin qui menait à l'intérieur des terres et qu'en cours de route, il se décompose de façon irrécupérable comme il menaçait de le faire depuis quelques semaines. C'était un bon plan, même s'il y avait des risques que je me blesse un peu.

Pour aggraver mon angoisse, nous avons appris qu'un des plongeurs professionnels s'était fracassé le crâne sur un récif à l'entraînement la veille. J'avais des scénarios morbides en tête, mais Angi m'a rassuré en me disant que la mort frappait rapidement si elle avait à le faire. Il n'y aurait pas de douleur, juste le noir éternel.

Et de la cervelle rose ondulant sur le ressac.

La falaise qui était attitrée au plongeon amateur n'avait que quinze mètres de haut, alors que celle du concours professionnel en mesurait vingt-six.

Des milliers de personnes étaient venues assister à la compétition, et ça m'inquiétait de savoir que j'aurais l'air d'un ~~incapable~~ plouc en face de la moitié de la population des Pouilles. Luigi aussi était là, il tenait une slush au Limoncello juste au-dessus de son sac banane molasse attaché à sa taille comme une troisième couille en pièce jointe et il faisait de l'œil à une veuve de ~~cinquante~~ soixante ans en bombant sa poitrine desséchée. C'était la seule personne qui n'était pas là pour voir mon plongeon mortel. Il profitait plutôt du paysage.

Il y avait cinq participants devant moi, dont deux adolescentes qui ont exécuté des sauts périlleux que je n'avais jamais vus. Lorsque ça a été à mon tour, j'ai réalisé que j'avais mal évalué ma capacité à gérer le vertige, car mon premier réflexe a été de ramper jusque sur le bord de la falaise, la joue écrasée contre le roc. Ça m'a pris environ dix bonnes minutes avant de regarder l'eau et le double pour me mettre à quatre pattes.

Elles n'étaient pas très solides, mes pattes.

Angi m'envoyait des encouragements teintés de ricanements. Ma seule motivation était qu'il serait obligé par la suite de se lancer dans le bain de l'amour au même titre que j'allais me jeter dans cette mer qui me paraissait agitée et qui cachait probablement un jardin de harpons prêts à me réceptionner en douceur. Aussi, je me demandais s'il y avait des ~~méduses électriques~~ ~~calamars géants~~ requins blancs dans la mer Adriatique.

Au bout d'une demi-heure de tortillements, je ne m'étais pas encore décidé à sauter. J'avais l'impression que j'allais commencer à moisir sur place tellement j'étais humide de transpiration.

C'est là qu'Angi a fait la plus belle chose qu'un ami peut faire quand son copain est ~~en train~~ sur le point d'uriner de peur dans son Speedo rouge.

Il m'a pris la main, et il a dit À trois. Un, deux…

Il a gueulé Trois, très fort, et moi, comme une fillette, j'ai crié quelque chose d'imprécis. J'ai bouché mon nez avec mon autre main.

La surface de l'eau m'a semblé plus dure que d'habitude, quand je saute contre mon gré du tremplin d'un mètre.

Lorsque j'ai pris ma première respiration post-plongeon en fendant l'eau avec ma tête comme j'avais vu certains épaulards le faire, je me suis rendu compte que plusieurs litres de liquide s'étaient introduits dans le seul orifice de mon corps accessible au moment de l'amerrissage.

Je te donne ici mon meilleur conseil. Si jamais l'envie te prend de t'élancer d'une falaise dans un but récréatif, assure-toi de plonger plutôt que de faire la position du lotus dans les airs. L'eau aura un accès moins direct à tes parties les plus intimes.

Mis à part le lavement, j'étais fier de ce que j'avais accompli, mais à partir de ce jour, les gens qu'on croisait dans les rues ont commencé à détourner le regard à notre passage. Ils avaient tous vu qu'Angi m'avait pris la main pour qu'on saute ensemble. Je ne sais pas ce qu'ils s'imaginaient du haut de leurs jugements italiens, mais ici, à Polignano a Mare, j'avais le meilleur ami du monde.

En arrivant chez moi après un mois en Italie, deux choses m'ont sauté aux yeux.

La première était que ce voyage m'avait fait plus de bien que je l'aurais espéré. Yvonne était encore là, dans ma tête, mais son souvenir était diffus, brouillé.

Le départ avait été larmoyant, enfin, en ce qui me concernait. Le grand cousin d'Angi m'avait tapoté l'épaule en me disant Tu nous ramèneras une belle femme la prochaine fois, je garde le matelas pour vous.

J'avais acquiescé en n'y croyant pas vraiment, mais j'étais quand même touché de savoir que j'étais le bienvenu chez lui et que le matelas continuerait de vivre et de mourir chaque nuit. C'était beau, le cycle de la vie.

La deuxième évidence était que j'avais accumulé pas mal de ~~livres~~ kilos et ça m'a fait penser au fait que les mères ont toujours raison.

Parfois, quand tu es en vacances, tu ne t'aperçois pas tout de suite que tu pourrais nourrir une famille africaine entière pendant une semaine avec le gras qui s'est installé autour de ta taille comme une bouée de sauvetage.

J'en ai parlé à Angi et il m'a dit de ne pas m'inquiéter. Il m'amènerait dans un club de boxe pour évacuer tout ça.

Le fait que j'étais bien bronzé améliorait un peu mon image globale. Si j'avais été vert, ce surplus pondéral aurait été déplaisant.

Le seul bémol était que la peau sous mon maillot de bain était restée en dehors de la zone touchée par le soleil. En aucun cas, me suis-je dit, ne devrais-je me montrer nu devant quelqu'un avant que ce contraste soit un peu atténué.

Je n'avais pas vraiment besoin de prendre de précaution.

Je sais que je ne t'ai pas parlé de Mian depuis longtemps. La raison principale est qu'il est rare qu'on mette en relief les choses dont on est le moins fier, sauf dans les cas d'autodérision.

Avant de partir en Italie, j'avais utilisé avec Mian la même technique qu'avait déployée Yvonne. J'étais allé la voir à son cabinet d'avocats spécialisés en droit familial et je lui avais annoncé mon départ comme s'il s'agissait de quelque chose d'excitant pour elle aussi. Elle avait plutôt mal réagi. Elle m'avait traité d'imbécile.

Ma technique avait manqué de raffinement, ou bien je n'avais pas le charisme d'Yvonne. Je n'allais tout de même pas lui déclarer que je partais en Italie pour mâchouiller ma peine d'amour avec une autre fille.

C'est là que je me suis rendu compte à quel point j'avais eu de la difficulté à prendre le rôle que Mian avait jusque-là tenu dans notre relation. Elle m'avait fait ce genre de chose des dizaines de fois et je l'avais jugée. Maintenant que j'étais à sa place, je me disais que c'est commode de juger quand tu ne sais pas ce que c'est. Je me sentais inconfortable dans le personnage du méchant. C'est plus simple d'être la victime. Tu n'as qu'à subir et à trouver que tu fais pitié. Tu attires la compassion, tu la recherches même.

Celui qui fait mal à l'autre doit sans cesse se justifier même si ses intentions ne sont pas mauvaises. L'égoïsme est souvent vu comme un phénomène barbare.

Ces temps-ci, je n'aimais pas interroger ma moralité, car elle me disait souvent, elle aussi, que j'étais un imbécile.

Alors je jouais à être la victime d'un complot. J'avais agi de cette manière parce que j'étais triste de ce qu'Yvonne m'avait fait. J'avais transféré mon chagrin sur Mian pour qu'elle en porte une partie. Je n'étais pas coupable. La mélancolie, avec ses yeux humides, excuse de nombreuses choses.

Je t'ai déjà dit que l'automne est la saison nostalgique par excellence.

Les feuilles commençaient déjà à jaunir, le froid croustillant venait me chatouiller les oreilles le matin. J'essayais de lutter du mieux que je pouvais, mais la nature était plus forte que tout.

Quand j'avais une rage de tristesse, j'appelais Angi et on allait ensemble au club de boxe.

Il y a peu de choses aussi efficaces que ce sport pour te changer les idées. Pour une fois, je comprenais Adrien. C'était agréable de cogner.

Les mains de ton partenaire sur lesquelles s'abattent tes poings deviennent ton seul objectif. Autour de toi se forme un lac de sueur, et une chance que tu as encore ta bouée de sauvetage adipeuse parce qu'il y aurait suffisamment de liquide pour que tu t'y noies. Quand l'entraîneur hurle en postillonnant JAB, JAB, JAB, UPPERCUT, tu sais que tu y mettras toute ton énergie pour qu'elle ne se disperse pas vers les choses qui te tiraillent.

Après, une douce sensation de légèreté t'accompagne jusque chez toi et ne te lâche pas jusqu'au moment où la nuit t'apporte un sommeil sans rêves.

C'était pratique, surtout que ça m'enlevait un peu mes airs de chochotte. Au début du mois d'octobre, j'avais déjà le profil d'un *douchebag* sans les chaînes en or, la voiture modifiée et les chandails Ed Hardy. Bref, j'étais musclé.

Ça m'allait bien.

Je n'avais pas revu Yvonne, ni même essayé de la contacter, et je m'étais retenu très fort de répondre à ses quelques courriels. La boxe me donnait une force de superhéros. Je devenais quelqu'un de fonctionnel en société. J'avais écrit une longue lettre à Mian pour lui expliquer ce qui s'était passé et pour m'excuser. Je n'avais pas reçu de réponse, surtout parce que je n'avais jamais envoyé la missive, mais je me disais qu'il ne fallait pas brûler d'étapes, car elles ne reviennent jamais. Je crois qu'elle savait *anyways* qu'on allait nulle part avec nos câlins qui tournaient autour du pot.

À l'Action de grâce, Adrien m'a invité à souper chez lui. Je me suis rendu à l'Aquarium avec Angi à deux cents kilomètres à l'heure sur sa moto. Pour l'occasion, j'avais mon nouveau manteau en faux cuir et, en le reniflant avant d'embarquer sur la moto, je me suis demandé si les fabricants ajoutaient de l'essence de vrai cuir pour faire plus réaliste parce que ça sentait pas mal l'animal mort.

J'avais de la difficulté à tenir ma tête engouffrée sous le casque trop lourd tellement le vent voulait me l'arracher. Quand j'ai vaguement fait référence à la police pour qu'il ralentisse un peu, Angi m'a dit Inquiète-toi pas, elle n'arrivera jamais à nous attraper.

C'était une optique à considérer, j'imagine. Sa plaque d'immatriculation était trafiquée aussi. Je ne savais pas comment ça fonctionnait, mais Angi m'avait assuré que les flics ne pourraient pas remonter jusqu'à lui.

Mon ami était un fantôme invincible et aussi parfois, un con.

Autour de la table régnait une ambiance inconfortable.

Angi me pinçait les cuisses en catimini sous la table, mais il n'avait pas l'air de se rendre compte que tout le monde pouvait voir ses manœuvres étant donné que le nouveau mobilier de mon frère était aussi transparent que le reste de sa maison. Adrien veillait au-dessus d'un bouilli qui sentait bon l'automne. Ma mère pilait les pommes de terre et faisait neiger du sel à l'infini au-dessus du bol.

Fougue, acharnement, foi.

José Gonzales chantait. Certaines notes de guitare particulièrement appuyées nous faisaient sursauter. Yvonne tripotait sa coupe de vin rouge et évitait surtout de me regarder. J'avais les yeux grand ouverts et je fixais le joyau gros comme une pièce de dix cents qui campait sur son annulaire.

Quand j'étais petit, je rêvais parfois d'un gâteau au chocolat énorme dans lequel je pataugeais à ma guise. Je faisais quelques longueurs dans le glaçage onctueux et, au passage, j'ouvrais la bouche et me remplissais de sauce au chocolat. Lorsque je me réveillais, j'étais toujours déçu de constater que ce n'était qu'un rêve et que ça n'arriverait jamais. Je pouvais presque sentir la texture du gâteau sur ma langue tellement j'y avais cru.

Ce n'était pas du tout ce que je vivais en ce moment. C'était le contraire. J'aurais tout donné pour que ce soit un rêve qui se conclut par un réveil en sursaut. N'importe quoi d'autre que le constat de cette réalité qui goûtait le vieux cadavre laissé au soleil trop longtemps.

Mon frère était tombé amoureux de mon ancienne amante et avait eu la bonne idée de la demander en mariage un peu plus de deux mois après leur première sortie en lui donnant un diamant qui, de toute évidence, l'avait aveuglée dans son choix. Quand on voit sa future vie se refléter à la surface d'une gemme si précieuse, il est difficile de penser de façon rationnelle. Le mariage avait beau être en déclin, j'étais tombé sur les deux ploucs qui semblaient y croire encore.

J'utilise le mot « amante » en parlant d'Yvonne, mais c'est parce que je ne sais pas exactement comment définir ce qu'on avait vécu. On n'avait jamais été plus loin que quelques câlineries dignes d'enfants de douze ans. On s'était vus nus. Mes mains avaient soupesé ses petits seins. On avait partagé une dizaine de chocolats chauds différents. Ce n'était pas un historique digne de rivaliser avec un diamant de cette grosseur, mais je sentais que j'aurais quand même dû avoir une certaine priorité chronologique par rapport à lui.

Je ne comprenais plus rien. Où était passé le cowboy ? L'avait-elle abandonné à son sort à l'aube de l'hiver nord-américain ? Je commençais à le plaindre. On était dans la même situation, sauf que moi, j'aurais à subir l'image d'Yvonne dans les bras de mon frère toute ma vie. Il y avait un flou entourant leur première rencontre. Je ne comprenais pas comment ça avait pu se passer.

Je t'ai déjà dit qu'Adrien et moi n'avons rien en commun physiquement, sauf peut-être les mêmes cils et, encore là, j'ai l'impression que les miens sont plus fournis.

Il était donc improbable qu'Yvonne ait pu soupçonner qu'elle fricotait avec mon frère qui, lui, n'avait jamais eu vent de mon histoire avec elle, car je n'en avais parlé à personne sauf à Angi.

Peut-être Adrien avait-il, avant ce soir, fait une vague référence à ce frère récemment revenu d'Italie. Yvonne avait, sans aucun doute, fait comme si cette coïncidence n'était pas alarmante.

C'est dans ces moments-là que tu réalises qu'il aurait mieux valu parler de tout ça au plus grand nombre de gens possible avant que ton frère tombe par hasard sur l'amour de ta vie pendant que tu es en colonie de vacances et que tous les deux en viennent à la conclusion que c'est une excellente idée d'unir leurs vies à jamais.

Angi continuait à me pincer les cuisses comme si cette action allait me réveiller de ce cauchemar, ça avait aussi l'avantage de le détourner de sa fascination morbide pour la situation improbable devant laquelle on ne pouvait qu'écarquiller les yeux en silence. J'étais devenu la balle de stress qu'il écrasait au creux de sa paume moite. Je m'interrogeais sur sa réaction démesurée par rapport à la mienne, mais je me disais que je ne perdais rien pour attendre. J'étais seulement sous le choc. Un choc de quinze mille volts, genre. Celui qui te laisse le cœur calciné.

J'avais hâte d'être libéré, car une solide envie de tester mes talents de boxeur sur mon entourage immédiat grandissait dans ma poitrine comme une plante carnivore prête à me dévorer de l'intérieur.

Ma mère semblait voler sur un nuage de béatitude rose bonbon. Entre deux bouchées de pomme de terre, elle déposait sa main manucurée sur le bras d'Angi qui s'habituait mal à être la victime de ses plans de séduction. Elle n'avait rien de précis en tête, mais profitait de l'occasion festive pour déborder un peu de la périphérie de son propre corps. Elle riait comme une fillette devant l'amour généré par les futurs époux et taquinait Angi sur sa solitude en lui faisant des clins d'œil ~~perturbants~~ maladroits. J'entendais mon ami égrener sa nervosité entre ses dents.

La soirée avait un caractère dérangeant qui ternirait à coup sûr mes plans de quiétude automnale.

Angi et moi avons évité de nous attarder sur les lieux. Il a prétexté un certain travail à exécuter, mais je savais que c'était aussi probable qu'une tempête de neige en Haïti, quoique…

J'avais juste, comme lui, envie de déguerpir et de crier longtemps dans la fraîcheur du vent. C'est d'ailleurs ce que j'ai fait, mais ce n'était pas exactement pour les mêmes raisons. Angi roulait comme un kamikaze.

Au moment d'embarquer sur la moto, j'avais remarqué que les feuilles mortes sur le gazon brillaient à cause du givre qui les recouvrait et j'avais trouvé ça particulièrement joli, mais une fois sur l'autoroute, je pensais davantage aux conséquences funestes de cette dentelle de glace qui se retrouvait probablement sur le bitume, gage d'une mort atroce. J'avais les genoux en état de cryogénisation et mes mains ne parvenaient plus à enserrer la taille de mon ami avec assez d'aplomb pour me rassurer. Par chance, mon casque insonorisait un peu les sons de détresse qui sortaient de ma bouche compressée entre les parois rembourrées.

Angi mettait souvent sa main sur ma cuisse pour m'encourager à me laisser aller. Ça me faisait du bien, mais en même temps, j'avais envie de lui hurler Garde tes putains de mains sur le guidon, les deux ! J'avais peur de mourir avant d'avoir pu régler cette histoire de rapt de petite amie par ce salaud d'Adrien.

Au cours de l'automne, il y a eu plusieurs autres soirées comme celles-là. On n'en finissait plus de célébrer le bonheur d'Adrien le ~~pirate~~ pilleur et d'Yvonne la sirène. Angi se trouvait toujours quelque chose de plus intéressant à faire et je savais par expérience que ces hypothétiques activités n'étaient pas difficiles à dénicher. Il aurait préféré racler avec sa langue les chiottes publiques en Inde plutôt que d'assister à ça. Je ressentais quelque chose de similaire, mais aussi, j'avais des envies malsaines de revoir Yvonne et d'être un figurant lors de leurs premières mésententes ou de simplement constater qu'ils n'étaient pas si heureux. Je me posais beaucoup de questions au sujet d'Yvonne et la majeure partie d'entre elles avait à voir avec ses goûts en matière d'hommes. Je me demandais où je me situais dans tout ça et pourquoi les choses avaient dégénéré au point de me retrouver à devoir fantasmer sur la future femme de mon frère alors que j'aurais pu fantasmer sur mon amoureuse.

Et puis, dans un élan de courage, en Italie, j'avais effacé tous les courriels qu'elle m'avait envoyés sans même les lire. Je m'étais senti fort sur le moment. Maintenant, je me disais qu'ils contenaient peut-être la clé de l'énigme. Aussi, j'aurais pu les relire inlassablement comme un pauvre plouc en me vautrant dans ma nostalgie. Maintenant, je n'avais plus que des souvenirs périmés qui ne parvenaient même plus à me ~~faire bander~~ réjouir.

Un soir, Adrien a invité quelques amis à regarder une partie de football sur son écran géant. C'était difficile de ne pas confondre le salon avec une salle de cinéma. Mon frère était assis entre ses deux meilleurs copains et les trois hommes se partageaient un pétard gros comme un cigare. Deux greluches siliconées pendaient à chaque extrémité de ce regroupement d'hommes. Même dans l'obscurité, ça paraissait qu'ils étaient gelés au point de ne plus se souvenir de rien le lendemain.

Yvonne et moi étions sur le canapé. Elle ne fumait pas, elle devait travailler plus tard. J'étais assis bien droit, les mains agrippées sur mes genoux pour ne pas qu'elles s'évadent en direction des cuisses nues de ma future belle-sœur beaucoup plus attrayantes que les miennes. Elle était adossée contre l'accoudoir, perpendiculaire à moi. Ses pieds recouverts de chaussettes en laine ont commencé à s'étirer tranquillement jusqu'à ce que le bout de ses orteils soit en contact avec mes cuisses. Ça m'a fait sursauter et je l'ai regardée un instant, mais rien dans son expression faciale ne pouvait me donner le moindre indice qu'elle était consciente de ses gestes. Ses doigts de pieds remuaient un peu sous mes fesses et je me demandais si ça pouvait être considéré comme des caresses ou bien s'il s'agissait de spasmes rythmiques qui suivaient la musique des publicités. J'étais paralysé. Si elle faisait ça pour me transmettre un message, je la trouvais injuste. Si elle le faisait par inconscience, je la trouvais irresponsable. J'avais envie qu'on clarifie la situation.

À la place, je mangeais des croustilles en ruminant l'époque où j'étais allé chez un de ses patients et où l'on avait conversé toute la soirée par l'intermédiaire d'un carnet de notes en engraissant Vermine le hamster avec du popcorn.

On ne s'était pas vraiment parlé depuis qu'elle sortait avec mon frère. J'aurais voulu savoir si nous deux, ça aurait été possible. Plusieurs indices m'indiquaient le contraire, mais certaines choses allaient dans le sens de cette théorie.

Comme ses pieds qui rampaient avec lenteur sous mes fesses.

Elle semblait absorbée par l'écran devant nous et fouillait dans sa bouche avec ses doigts, malaxant au passage ses lèvres, celles sur lesquelles je me serais posé à l'infini, comme une abeille sur la plus belle fleur du monde. J'essayais de ne pas trop la regarder, mais ses mouvements attrapaient mon œil davantage que la purée stroboscopique de la télévision. Dehors, deux *dudes* bien emmitouflés s'étaient installés sur des chaises de patio pour pouvoir profiter de la partie de football à travers les murs vitrés de la maison d'Adrien. Je leur ai envoyé la main, ils ont fait semblant de regarder la voûte étoilée, ces pauvres cons. Je crois même que le plus petit des deux a parlé de la Grande Ourse, juste pour avoir l'air moins louche.

Je suis parti en envoyant un vague signe de la main à mon frère qui, de toute manière, délirait en caleçon sur le plancher pendant que ses deux amis et leurs rallonges féminines étaient probablement en train de se noyer dans la piscine de verre qui, de l'extérieur, avait l'air d'une marmite dans laquelle nageaient quelques carottes en maillots de bain.

Yvonne m'a proposé de me raccompagner. Je savais que c'était le genre de suggestion que je ne devrais pas accepter, mais je n'en avais pas la force. Je me disais aussi que ça nous donnerait un peu de temps pour discuter dans la voiture.

Pendant le début du trajet, on n'a pas parlé de sa main qui gisait sur ma cuisse, de ses ongles inégaux qui s'accrochaient à la fibre de mon pantalon. Elle a seulement dit Hier, il m'a pré-coupé des oignons pour toute la semaine parce que je pleure trop quand je le fais. C'est quelqu'un de très spécial, il me fait rire.

Je me suis demandé si je l'avais déjà fait rire, moi aussi. À bien y penser, trois fois. Je l'avais fait rire trois fois. J'ai trouvé que l'explication de son amour pour mon frère était un peu simpliste, sauf pour l'affaire des oignons. Ça, je le lui concédais, c'était vraiment une attention de qualité et j'aurais aimé lui dire que je lui aurais coupé de l'ail, en plus, pour que ses mains ne sentent pas la mauvaise haleine. Mais comme je ne voulais pas qu'elle arrête d'escalader ma cuisse avec sa main, j'ai fait comme si je comprenais ses choix.

Sur l'autoroute, on a croisé un autostoppeur qui avait l'air d'avoir été parachuté d'un vaisseau spatial tellement il sortait de nulle part. On l'a dépassé de quelques dizaines de mètres avant qu'Yvonne décide d'arrêter le véhicule. Avant de reculer, elle a à peine regardé si d'autres voitures arrivaient derrière nous à plus d'une centaine de kilomètres à l'heure. J'ai entendu un klaxon retentir au moment où l'on est arrivés à la hauteur du mec et j'ai serré les fesses comme si ça allait empêcher le conducteur de cette voiture de nous percuter.

La bouche du pouceux expulsait une fumée opaque. On aurait dit qu'il forçait un peu la note pour nous amadouer, pour avoir l'air d'être plus frigorifié qu'il ne l'était en réalité. Il avait une grosse tête sous son capuchon gris-bleu aux bords effilochés.

Le mec a pris place sur la banquette arrière en nous remerciant, et en nous demandant de le déposer à la première station de métro qu'on allait croiser.

C'est lorsqu'il a retiré son capuchon que j'ai compris ce qui ne fonctionnait pas avec sa tronche. Il avait des vis qui lui rentraient partout dans le crâne. Une armature faisait le tour de sa tête et elle semblait s'appuyer sur ses épaules. L'attirail avait l'air de remplacer sa nuque, brisée pour on ne sait quelle raison. Même dans le clair-obscur, on pouvait voir une coulisse de sang qui avait gelé sur son front. Son teint livide, son sourire piteux et sa provenance douteuse m'ont convaincu sur la probable identité du mec : on avait embarqué un putain de personnage sorti tout droit d'un film de Tim Burton !

Yvonne ne semblait pas s'en être aperçue, sauf qu'elle avait retiré sa main de ma cuisse et la tournure des événements me plaisait de moins en moins.

On était à mi-chemin du centre-ville quand elle a finalement réalisé qu'on avait Frankenstein avec nous dans l'habitacle. Elle m'a regardé et j'ai tout de suite vu le sang qui désertait son visage. Elle a freiné avec aplomb, assez pour que la tête de notre compagnon vienne s'écraser contre le dossier de mon banc et que j'imagine les vis qui lui rentraient dans le cerveau sous la force de l'impact. Gloup !

Yvonne est sortie de la voiture et, juste comme ça, s'est évanouie sur le bord de l'autoroute. J'ai souri à notre compagnon de voyage, et tous les deux, on a fait semblant que ce n'était pas à cause de lui que notre conductrice était tombée dans les vapes sur le gazon raidi par le froid. Ça a duré un bon moment. J'aurais aimé aller la réveiller tendrement avec un baiser de prince charmant, mais je me suis douté que ce n'était pas le genre de chose qu'il convenait de faire.

Lorsqu'elle est revenue dans la voiture, Yvonne a dit Fais juste remettre ton capuchon si ça ne te dérange pas.

L'autre a obtempéré sans broncher, mais ça paraissait qu'il se disait Putain, vous ne savez pas ce que c'est d'avoir des vis plantées dans le cerveau, soyez indulgents.

On a fait le reste du chemin en silence, sauf pour les cliquetis que produisait l'arsenal du mec lors des secousses.

On l'a déposé à la première station de métro, comme promis.

J'avais envie de demander à Yvonne de remettre sa main là où elle était, sur le haut de ma cuisse, avant l'irruption de Frankenstein dans nos vies, mais je savais que c'était le genre de chose qui pouvait dégénérer et je préférais ne pas être la source des événements compromettants qui pourraient survenir plus tard.

En tournant dans ma rue, Yvonne a réduit sa vitesse comme si elle voulait étirer le moment. Je sentais que ça allait nous exploser au visage.

J'ai vu un pigeon qui bondissait sur une seule patte sur le trottoir en picossant une flaque de vomi laissée là par un plouc qui n'avait pas pu s'empêcher de dégobiller en plein milieu du chemin. Ma vie avait l'air d'un scénario d'horreur, avec tous ces personnages glauques.

Yvonne s'est arrêtée devant mon appartement, a laissé rouler le moteur.

J'aurais voulu déguerpir au plus vite, mais j'étais scotché au siège de la voiture. Ça m'ennuyait que le moteur soit encore en marche. J'ai tourné la clé du démarreur en position d'arrêt et j'ai dit C'est pour l'environnement.

Elle a acquiescé en serrant les lèvres. Mon corps a fait un détour en direction du sien. On s'est fait un câlin qui a duré longtemps, mais l'épaisseur et la bonne isolation de nos habits d'hiver m'empêchaient de sentir sa chaleur. Elle devait penser la même chose, car elle a dit C'est nul, un hug rembourré!

J'ai fait un signe de tête pour l'inviter chez moi. Elle a pris une grande respiration.

J'espérais que tu ne m'invites pas.

On a monté le Machu Picchu en trottinant. On était pressés.

Le tout a été expédié très vite. On a bien fait ça, dans la mesure où il est possible de trahir dans les règles de l'art.

Je ne savais pas ce qui avait motivé Yvonne à tromper mon frère. J'essayais de ne pas me faire d'illusions. Je me demandais lequel de nous deux était le ~~plus coupable~~ personnage monstrueux dans cette histoire. Et puis fuck, je peux te le dire à toi, j'avais l'impression de m'être vengé de tout ce qu'Adrien m'avait fait et j'étais content, tiens ! Vraiment content.

L'amour avec Yvonne avait été un antibiotique à ma tristesse. Je m'interrogeais sur le nombre de doses qu'il me faudrait pour être immunisé.

Mais il n'y en aurait qu'une.

Je ne savais pas si on avait bien fait. Sûrement pas. On dit qu'il ne faut jamais arrêter un traitement d'antibiotiques avant la fin de toutes les doses.

Tu te souviens lorsque je t'ai dit que je me suis tiré deux balles dans le pied au moment de sceller le pacte avec Angi en Italie ?

La deuxième balle a pris son temps pour arriver, mais l'impact a été cinglant.

Il s'est avéré qu'Angi n'avait pas utilisé ses temps libres pour aller rehausser le degré de salubrité dans les W.-C. du tiers-monde à l'aide de ses papilles. Il s'était affairé à faire honneur au défi ridicule que nous nous étions donné.

Un samedi matin du début du mois de décembre, il m'a appelé.

Allo mec !

Salut mec.

Je passe te prendre dans dix minutes.

Pourquoi ?

J'ai une super activité à te proposer.

OK.

Dehors, c'était un genre d'été des Indiens tardif. J'ai attendu Angi en t-shirt surmonté d'une veste en duvet sur le bord de la rue en donnant quelques coups de pieds dans les restes d'une citrouille écrasée qui était restée là depuis le soir de l'Halloween. Au loin, une femme hurlait à son enfant ARRÊTE DE MANGER TES MITAINES, MON TABARNAK !

Dans la voiture, j'ai vu qu'Angi portait un de ces jacquards noirs où trottait un carrousel de rennes blancs. Il a senti que je le jugeais.

C'est ma mère qui s'est mise au tricot. Elle déteste ça.

Ça paraissait.

Où est-ce qu'on va ?

Tu vas voir.

On s'est arrêtés devant un sapin haut de plusieurs dizaines de mètres dans l'atrium du centre commercial. J'avais beau être dans la mi-trentaine et jouer au mec sérieux avec ~~beaucoup de~~ quelques muscles nouveaux sur mon corps, j'ai quand même eu la bouche ouverte pendant un bon moment en regardant l'arbre illuminé qui portait des milliers de boules de Noël roses et bleues.

Angi s'est mis à cueillir des boules en alternant entre les deux couleurs et m'a dit d'en choisir une. En les regardant de près, j'ai vu qu'elles portaient toutes une étiquette où l'on pouvait lire le nom d'un enfant et un souhait matériel. Angi a clarifié la situation.

Ma mère m'a suggéré de venir dépenser mon argent pour une bonne cause.

C'était sensible de la part de sa mère. C'était aussi la meilleure manière pour lui de brouiller les pistes sur la provenance de ses revenus. Je le répète, je ne sais rien à ce sujet.

Quand j'ai fait mine de vouloir orienter mon choix vers un enfant qui demandait un cadeau cool, Angi m'a envoyé une baffe derrière la tête et m'a suggéré de ne pas faire de favoritisme. À ces mots, il a étendu le bras vers une boule rose où il était inscrit Lili-Anna Doucet, deux ans et demi, un carrosse féérique Barbie avec lumières et musique. Je me suis demandé quel était le sort réservé aux enfants dont les boules de Noël étaient situées tout en haut de l'arbre, inatteignables.

Comme Angi avait plus d'une quinzaine d'enfants pauvres à satisfaire, on a cherché nos cadeaux pendant des heures. Il s'est avéré qu'il était doué pour le choix d'habits de neige ou de robes de princesse scintillantes. Il me demandait mon avis, mais on aurait dit qu'il choisissait systématiquement le contraire de ce que je disais et au final, il avait raison de le faire.

On était dans le rayon des bicyclettes pour enfants chez Toys 'R' Us, j'avais mon carrosse rose dans les mains et j'appuyais sur le bouton d'essai des lumières et de la musique quand la balle m'a explosé le gros orteil.

Alexi, j'ai quelque chose à te dire.

Ça sonnait comme une révélation qui ne me plairait pas, alors mon Oui ? devait contenir beaucoup d'appréhension.

Je ne sais pas trop comment c'est arrivé, mais Mian et moi…

Un vendeur s'est approché de nous et, voyant qu'on semblait avoir beaucoup d'argent parce que notre chariot avait l'air du traîneau du père Noël, il nous a proposé un modèle de vélo électrique en spécifiant que c'était très utile pour certains enfants asthmatiques.

Je savais bien que je n'avais pas vraiment le droit d'être blessé. Dans les faits, je n'avais pas pensé à Mian depuis longtemps. Les seuls vestiges de cette relation constituaient une lettre d'excuses pourvue d'un timbre et barbouillée de plusieurs sortes de résidus alimentaires qui attendait sur ma table de cuisine en espérant que je me souvienne de l'acheminer jusqu'à la boîte postale au coin de la rue.

Ce peut être aussi un bon cadeau pour certains enfants avec des problèmes de mobilité.

Ce n'était pas que je me sentais trahi non plus. C'était juste que ça me semblait beaucoup en peu de temps. Avec ce qui s'était passé avec Yvonne récemment…

En fait, c'est à ce moment-là que j'ai su pourquoi Angi avait été si nerveux le jour où l'on avait découvert qu'Yvonne, mon plan A, allait se marier avec Adrien. Mon ami avait vu mes possibilités s'éteindre devant mes yeux avant que je ne m'en aperçoive, et c'était en partie sa faute, parce qu'il fricotait avec mon plan B.

Je ne savais plus vraiment quelle lettre attribuer à quel plan. La personne qui fait ce genre de machination douteuse mérite le malheur qui lui arrive.

La douleur n'était plus aussi perçante qu'il y avait une minute et je commençais à me calmer lorsque le vendeur a surenchéri.

Vous devez avoir une belle grosse famille. C'est spécial, hein ?

Il avait l'air de penser qu'on avait fabriqué des enfants ensemble, Angi et moi, et j'ai imputé ce mauvais jugement au chandail plein de rennes que mon ami portait. Je ne sais pas comment c'est arrivé, mais mon poing s'est abattu tout seul dans le ventre du mec qui tenait le vélo électrique et il a craché un son sourd en se penchant vers l'avant. J'ai senti mes phalanges craquer, mais j'avais vu pas mal de films de combat et j'ai fait semblant que je ne m'étais pas explosé les ligaments au contact des boyaux de ce connard de vendeur.

Angi a déposé une liasse d'argent dans la main de ma victime et lui a envoyé une tape dans le dos. Le mec a fait un signe de paix et tout s'est réglé aussi facilement que ça.

Je savais bien que ce n'est pas en broyant les tripes d'un casse-couilles que tu peux résoudre tes contrariétés, mais je dois avouer que ça m'avait fait du bien et que déjà, je souhaitais à Angi et à Mian tout le bonheur que je n'aurais jamais.

La quinquagénaire qui a emballé nos achats près de l'arbre de Noël nous a remis des cannes de bonbon à la menthe en échange de notre généreuse donation.

On a sucé nos friandises en silence dans la voiture. Je savais qu'Angi était au courant que je lui donnais ma bénédiction même si on n'en parlerait jamais. À la place, on a jugé le vendeur même si on n'était pas soûls et j'ai gagné un autre point.

Pour éviter de passer les fêtes dans ma famille soûlée par tant de bonheur, je me suis enfui dans le Sud.

Au téléphone, ma mère m'a traité de sans-cœur. Je lui ai rappelé l'histoire de la caméra. Juste parce que j'étais bouché et que je n'avais rien à dire. J'ai été ~~méchant~~ odieux, c'était tout ce qui me restait.

L'histoire de la caméra, ça s'est passé il y a un siècle, ou presque, j'avais dix ans. Lors de mon spectacle de ballet... oui, je faisais du ballet, principalement parce qu'on était arrivés trop tard aux inscriptions et qu'il ne restait plus de places pour les équipes de soccer. En fait, il en restait suffisamment, mais pas dans des équipes séparées. On ne voulait pas jouer ensemble, Adrien et moi, on voulait être l'un contre l'autre. Mon frère avait juré craché de faire une psychose sur le champ s'il n'obtenait ce qu'il voulait, et même si tout le monde savait qu'une psychose ne se commande pas aussi facilement, Adrien avait des capacités inouïes et personne n'aurait parié sur le fait que cette crise promise n'aurait pas lieu. Il a donc eu le droit de faire du soccer et pas moi.

Aussi, ma mère considérait l'activité physique comme un passage obligé, un mal nécessaire, un devoir de citoyen, quelque chose qu'on devait faire, tout simplement, peu importe sa nature. Alors je faisais du ballet, seule autre activité où il restait de nombreuses places pour les garçons de mon âge. C'était le jour de mon récital. Ma mère avait voulu me filmer, conserver à l'infini des images de moi en collants bleus, habillé en prince, sautillant comme une punaise détraquée. À vrai dire, le ballet a été la seule activité où j'ai excellé, j'avais un beau cou-de-pied et une ouverture magnifique, apparemment. C'est ce qu'on me disait…

À l'époque, la plus petite caméra portative était aussi volumineuse qu'un four micro-ondes et les captations d'images n'étaient pas permises, surtout parce que mon école de ballet filmait elle aussi le spectacle afin de vendre les copies à un prix exorbitant, profitant de ce sentiment de fierté parental au nom duquel personne ne rechignait à payer quarante dollars pour une cassette VHS qu'on regarderait dans les futures fêtes familiales. Sauf ma mère. Elle avait décidé de cacher une caméra dans sa sacoche, d'y faire un trou pour la lentille, et de subtilement placer le tout sur son épaule pendant le récital. Comme toutes les mères, elle était pourvue d'une sacoche assez grande pour contenir un four micro-ondes.

Pendant que j'étais occupé à avoir l'air d'une chochotte sur la scène d'un théâtre national, un agent de sécurité était venu voir ma mère.

Madame, veuillez me suivre.

Pourquoi ? Je ne fais que regarder le spectacle de mon fils !

Un sourire narquois s'était probablement dessiné sur le visage de l'agent.

Madame, veuillez me suivre.

Judicieuse, ma mère avait décidé de laisser sa sacoche sous le banc.

Madame, apportez votre sacoche avec vous.

Pourquoi ? Je n'ai pas besoin de ma sacoche.

Apportez votre sacoche avec vous.

Toujours aussi perspicace, elle avait fait semblant de bousculer son sac pour qu'il tombe sur le côté, elle n'aurait qu'à faire disparaître la caméra d'un coup de botte dans les profondeurs noires sous les sièges.

Madame, veuillez apporter votre caméra avec vous.

Elle avait suivi l'agent de sécurité avec l'objet compromettant. Pendant ce temps, je dansais en duo en compagnie d'une jeune fille qui m'appelait Crotte de nez, surtout parce qu'elle était diabolique, mais sûrement aussi parce qu'il m'arrivait de me curer le nez dans les classes, entre deux pas de chat.

Dans un bureau, l'homme à l'uniforme bleu foncé avait dit à ma mère Ceci consiste en une offense passible de prison.

Ma mère commençait à trouver qu'elle aurait dû payer quarante dollars pour la foutue VHS et elle a fini par éclater en sanglots.

Je suis seulement une mère qui veut filmer son fils dans ses beaux collants.

L'agent avait probablement eu pitié.

Écoutez, madame, ne vous énervez pas. Je vais vous dire ce qu'on va faire. Vous allez effacer le contenu de votre cassette, et personne ne vous embêtera avec ça.

Lors de la manœuvre, il avait découvert qu'elle n'avait jamais appuyé sur *Record*.

Cette histoire, je la détenais de la bouche même de ma mère, divulguée lors d'une fête de Noël où un bol de lait de poule particulièrement riche en rhum avait fait des ravages évidents sur ses inhibitions.

Donc, après que ma mère m'eut traité de sans-cœur et que je lui eus remémoré cet adorable incident de la caméra, elle m'a raccroché au nez et j'ai su que j'étais descendu en deuxième position dans le palmarès des fils préférés. Tous les parents ont un enfant préféré, même s'ils le nieront toute leur vie.

Dans le Sud, j'ai passé une semaine en état d'ébriété constante en m'appliquant à reproduire les cygnes que ma femme de chambre fabriquait avec ma serviette de plage et qui m'attendaient sur mon lit chaque fois que je revenais de ma première baignade.

Je n'essayais pas d'oublier quoi que ce soit. Je voulais juste ne pas trop me rendre compte que j'existais.

J'ai même fait un tour de Banane géante en lançant mes bras dans les airs et en criant VA CHIER VA CHIER VAAAAAACCHH HIIERRRRR ! VVVVVAAAAAAAFFFFFFFUUUUUUUCCCCCCCCKK KKKKKKKKIIIIINNNNNNNGGGGGGGGGGGGGGGGCHIIIIIIIIIIEEE EEEEEEEEEEEERRRRRRRRRRRR !

J'ai dû embrasser une ou deux filles, mais je ne suis pas certain de ~~vouloir~~ m'en souvenir.

En revenant chez moi le 4 janvier ~~2012~~ 2013, il y avait un bas de Noël accroché sur ma boîte aux lettres.

Dedans, il y avait un test de grossesse qui indiquait un petit signe de + accompagné d'une lettre. C'est là que tu es apparu dans ma vie, sous la forme d'une addition. Une équation qui allait comme ça : ta mère + moi = toi.

Cher Alexi,

J'y ai pensé longtemps avant de te faire parvenir ceci et j'en suis venue à la conclusion que tu devais savoir.

Cet enfant est le tien, il n'y a aucun doute là-dessus.

Je le garde.

J'ai trente-trois ans et j'ai toujours voulu avoir des enfants. Je suis incapable de faire comme si celui-ci n'avait jamais existé.

Je voulais aussi te dire que ça aurait été possible, nous deux, dans un autre monde. Je ne sais pas quoi dire de plus. Parfois, le *timing* joue contre nous et l'on ne peut rien y faire.

Adrien est content, j'imagine qu'il n'a pas trop compté les dates et qu'il ne sait pas comment fonctionne un cycle menstruel. Moi non plus, apparemment.

Je pense qu'il serait mieux que je ne te voie pas trop pour l'instant. J'ai un peu tendance à déborder de tous les bords.

Pardonne-moi.

Yvonne xxx

C'est là que j'ai commencé à t'écrire notre histoire pour que tu saches où je m'étais empêtré et que tu ne reproduises pas mes erreurs.

Je voulais qu'il y ait une évolution entre les générations. Je ne voulais pas qu'on stagne.

Je me sentais coupable de ne pas te donner les meilleurs gènes possible. Alors j'ai esssayé de me reprendre sur ce qui serait acquis. Et le soir du 4 janvier 2013, j'ai vidé une bouteille entière de rhum acheté au *duty free*, j'ai uriné dans mon garde-manger parce que l'alcool, ça peut altérer le jugement, et je me suis mis à t'écrire.

Dans quelques jours, je vais te rencontrer. J'espère que tu vas ressembler à Yvonne pour qu'elle ne soit plus seule de son espèce, parce qu'au final, je n'ai rien à t'offrir. Peut-être mes grands cils pour faire battre des cœurs, peut-être…

P.-S.

Le jour où je viens te voir à la pouponnière, tu n'es pas seule. Vous êtes deux.

Deux petites filles au teint rose et aux poings recouverts de mitaines protectrices.

La mère d'Yvonne est jumelle elle aussi. La duplicité fait des bonds de génération, apparemment. En apprenant ça, je me rends compte que je ne sais presque rien sur votre mère, je suis tombé amoureux d'un courant d'air et j'ai espéré pouvoir le comprimer dans un pot Mason, l'ouvrir pour en prendre une sniffée une fois de temps en temps, mais elle s'est échappée. Ce que je sais d'elle se résume à ~~six~~ cinq choses.

Elle déteste le Ricard.

Elle aime les petits vieux dont elle s'occupe la nuit.

Elle a un tamagoshi âgé de dix-huit ans.

La vue du sang lui donne envie de s'étendre dans le gazon glacé.

~~Elle a un corps qui te fait regretter de ne pas être une débarbouillette de bain, pour pouvoir la caresser tous les jours.~~

Elle ne peut pas être seule.

Maintenant, elle vous a. J'aurais aimé qu'on soit seuls à quatre. Qu'on soit attachés les uns aux autres de façon officielle.

Vous n'avez pas encore de noms. On vous a donné des numéros de sortie.

Un et deux. Avec mon nom de famille qui m'informe sur votre provenance.

Mon frère a les larmes aux yeux et ne peut s'arrêter de pleurnicher. Je ne vous donnerai jamais cette lettre. Elle n'est plus destinée à vous.

C'est mon propre mode de non-emploi.

Je sais que votre nom ne se retrouvera jamais inscrit sur une boule de Noël rose tout en haut de l'arbre de l'atrium au centre commercial.

Je sais que vous aurez une mère sublime, belle et parfaite. ~~Bitch aussi...~~

Je sais que votre père ne partira jamais parce qu'il a trop souffert d'avoir été lui-même abandonné.

Je sais que je pourrai vous emprunter, parfois, et vous montrer à faire des bombes dans l'eau de la piscine en bouchant votre nez pour que l'eau n'y entre pas.

Je ne rirai ~~peut-être~~ pas, promis.

Je sais que je pourrai me cacher dans un bosquet et vous observer évoluer dans l'Aquarium sans que personne le sache et si jamais quelqu'un m'aperçoit, je pourrai toujours feindre de regarder la voûte parce que c'est un bon *spot* pour faire ça.

Je sais que je n'aurai plus peur du présent parce que, à force de ne pas vivre en même temps que tout le monde, je vous ai perdues toutes les trois.

Je sais que tout ira bien.

Même si mon frère vous a appelées Ruby et Saphir en sortant de l'hôpital. Une illumination créée par la fatigue...

Vous êtes ses trésors. J'espère qu'il cessera un jour de jouer au roi de la montagne.

Vous êtes mes princesses, mais ça, personne ne le saura.

Mon histoire grise, je la garderai pour moi.

Alexi.

Remerciements

J'aimerais remercier tous les hommes qui m'ont inspirée à en incarner un l'espace de quelques mois pour la création de ce roman : Michel, Pat, Gui, Nic, Phil, Cbass, Sam, Nico, Gérald, Jon, Jipi Clout, pour ne nommer que ceux-là.

Vous êtes beaux, forts, faibles, drôles, étranges, amoureux, cafouilleurs, maladroits, bordéliques, propres, sales, nostalgiques, ordonnés, un peu alcooliques ; vous envoyez dans l'air des *puffs* de virilité comme autant de nuages de beau temps...

Quand il y a des femmes dans les parages, vous avez des feux de Bengale dans les yeux, c'est tous les jours un anniversaire ! Ça donne envie de sortir les confettis, le crémage, la musique, les serpentins et les petites robes cocktail.

Vous m'avez incitée sans le savoir à écrire des histoires qui font hommage à vos qualités et qui se moquent un peu de vous, aussi.

Je vous aime, vous adore et vous comprends.

Nous, femmes, sommes folles ~~de vous~~ la plupart du temps.

RECYCLÉ

Papier fait à partir
de matériaux recyclés

FSC® C100212

FSC

www.fsc.org